ÖSTERREICH KUNSTSCHÄTZE

MARIA DAWID

ÖSTERREICH KUNSTSCHÄTZE

HERAUSGEGEBEN VON HELLA HEINTSCHEL

PINGUIN VERLAG, INNSBRUCK – UMSCHAU VERLAG, FRANKFURT AM MAIN

Bildredaktion und Gesamtgestaltung: Hella Heintschel
Lithos: Wagner'sche Univ.-Buchdruckerei Buchroithner & Co., Innsbruck
Druck und Bindearbeit: Druckerei Sochor, Zell am See
Printed in Austria

Inhalt

Die Kunst Österreichs in den Jahrtausenden

Obwohl Österreich heute nur mehr ein Torso der einstigen großen Donaumonarchie ist, gehört es zu den kunstreichsten Ländern Europas. Dies betrifft nicht nur den Musealbesitz, den die Habsburger während ihrer Herrschaft aus allen Teilen der Welt zusammengetragen haben, sondern auch die im Laufe der Jahrhunderte an Ort und Stelle entstandenen Monumente. Vielfältig sind die Einflüsse, die von außen kamen, aufgenommen und zu etwas Neuem verarbeitet wurden, das seinerseits wieder befruchtend auf andere Gebiete ausstrahlte. Bedingt durch die geographische Lage Österreichs läßt die Kunst zum Teil eine selbständige Entwicklung in den einzelnen Bundesländern erkennen.

Die urgeschichtlichen Kulturen zeigen auf österreichischem Boden zahlreiche Sondergruppen. Funde in mehreren Höhlen der Steiermark bezeugen bereits für das Altpaläolithikum (frühe Altsteinzeit) menschliches Leben im Gebirge. Als älteste Höhlenstation außerhalb des Alpenraumes gilt die Gudenushöhle bei Krems. Das kulturelle Leben wird zuerst im Donautal greifbar, im Jungpaläolithikum (späte Altsteinzeit) – etwa um 30.000 v. Chr. Hier sind zum größten Teil im Löß liegende Rastplätze ans Tageslicht gekommen. Willendorf in der Wachau, der bedeutendste von ihnen, wurde weltberühmt durch die Entdeckung zweier weiblicher Statuetten von Muttergottheiten, den ältesten künstlerischen Erzeugnissen Österreichs. Eine der Figuren, Willendorfer Venus genannt, übertrifft an Qualität alle bisherigen Parallelfunde aus anderen Ländern. Die zweite ist eine unfertige Schnitzerei aus Mammutzahn.
Im Neolithikum (Jungsteinzeit, 5000–1800 v. Chr.), das bereits bäuerliche Siedlungen aufzuweisen hat, treten erstmals keramische Erzeugnisse in Erscheinung. Die Schwerpunkte der in Österreich verbreiteten Kulturen liegen jedoch außerhalb der heutigen Grenzen. Die Relikte der älteren Jungsteinzeit gehören durchwegs dem bandkeramischen Kreis an. Die früheste Gruppe daraus, die linearkeramische, ist im Burgenland, in Niederösterreich und Oberösterreich nachzuweisen; hier sind durch die Verzierungsweise Zusammenhänge mit der Slowakei und Mähren gegeben. Die bomben- und buttenähnlichen Gefäßformen zeigen als Dekor »Notenköpfe«, Spiral-Mäandermotive und Winkelbänder. Aus dieser Gruppe entwickelte sich die stichbandverzierte Keramik mit birnenförmigen Gefäßen, die jedoch nur vereinzelt im Waldviertel anzutreffen ist. Sehr eindrucksvoll tritt in Österreich die jüngste bandkeramische Gruppe, die bemalte Ware, mit reichem Ornamentschatz und Idolplastik in Erscheinung. Charakteristisch sind Fußschalen, sowie Schalen mit scharfem Profil. Im letzten Abschnitt des Neolithikums gibt es eine Fülle von Mischkulturen. Während im Alpenvorland die verschiedensten stilistischen Einflüsse um die Vorherrschaft kämpfen, schnurkeramische Elemente und solche der Glockenbecherkultur nachzuweisen sind, hat sich im Alpengebiet, an der Enns beginnend, bis weit in den salzburgischen Raum hinein, eine eigene selbständige Kultur entwickelt, die nach ihrem ersten Fundplatz Mondseegruppe genannt wird und deren Produkte am zahlreichsten in den Pfahlbausiedlungen an den Ufern der Salzkammergutseen anzutreffen sind. Die Dekoration der Gefäße greift auf die alte

bandkeramische Tiefstichtechnik zurück, stattet sie jedoch mit neuen Elementen, besonders mit weißer Inkrustation aus. Unmittelbar nach der Blüte dieses Kulturabschnittes setzte der Kupferbergbau ein. Das in den oberösterreichischen Pfahlbauten verarbeitete Metall stammt teils aus der Gegend von Mühlbach–Bischofshofen, teils wurde es aus östlichen Gebieten importiert. Parallel zur Mondseekultur hat sich im Flachland, besonders in Niederösterreich, die sogenannte Badener Kultur entwickelt, die ihre Keramik gerne mit plastischem Dekor, z. B. Buckelreihen, schmückt. Auf rege und erstaunlich weit reichende Handelsbeziehungen lassen Funde von Perlen, flachen Armringen und Anhängern aus einer nur im Mittelmeer heimischen Muschelart schließen.

Der Gebrauch von Kupfer und dessen Legierung mit anderen Metallen wurde in Österreich kurz nach der Wende vom 3. zum 2. Jahrtausend bekannt. Eine Umstellung der gesamten materiellen und sozialen Struktur war die Folge. Zur bäuerlichen Welt gesellte sich nun der spezialisierte Handwerkerstand und der Händler.

Im nördlichen Niederösterreich ist im älteren Abschnitt der Bronzezeit (1800–1600 v. Chr.) die nach einem Fundort in Böhmen benannte Aunjetitzer Kultur vertreten. Charakteristische Keramikdekors sind tupfenverzierte Mundsäume, gekerbte Zierleisten und Spiraltutuli. Am Alpenostrand, in Niederösterreich und im Burgenland herrscht die Wieselburger Kultur; Oberösterreich, Salzburg und Nordtirol gehören zum Einflußgebiet der Straubinger Kultur, die Strichverzierungen an Gewandnadeln, Armreifen und Dolchen aufweist. Unter den Keramiken der älteren Bronzezeit fallen auch Gefäße auf, die sich durch besondere Feinheit im Brand auszeichnen. Mit ihrer meist vorzüglichen Oberflächenglättung scheinen sie fast den Glanz des Metalls nachahmen zu wollen. Umwälzende Neuerungen brachte der Werkstoff Bronze auf dem Gebiet der Waffen- und Schmuckherstellung; man bediente sich damals mit Vorliebe der Treibtechnik.

Charakterisisch für die mittlere Bronzezeit (1600–1200 v. Chr.) ist die Hügelgräberkultur, die mit ihren zahlreichen Lokalgruppen von Ostfrankreich bis Ungarn reicht. Der Name leitet sich vom damals allgemein üblichen Totenritual ab, der Bestattung der Verstorbenen unter Erdhügeln. Sowohl im Typenschatz als auch in der Verzierungsweise zeigen die Erzeugnisse auf österreichischem Boden einerseits ein enges Abhängigkeitsverhältnis zur süddeutschen Gruppe (westliche Gebiete, vor allem Oberösterreich und Salzburg), andererseits zu Mähren, zur Südslowakei und zu Ungarn (Niederösterreich). In Tirol sind in geringem Maße auch Zusammenhänge mit der Schweiz und mit Oberitalien festzustellen.

Am Ende der Epoche, im 13. Jahrhundert v. Chr., zeichnen sich Veränderungen im Kulturgefüge ab, die in einem noch nicht näher erkennbaren Zusammenhang mit den historischen Ereignissen im Ostmittelmeerraum stehen (Wanderung der Seevölker). Der Brauch, die Toten auf Scheiterhaufen zu verbrennen und die Überreste in Urnen – größeren Tongefäßen – in einer Nekropole (Gräberfeld) zu bestatten, ist Hauptmerkmal der neuen Kulturform.

Die sogenannte Urnenfelderbewegung erfaßte in der jüngeren Bronzezeit (1200–800 v. Chr.) den größten Teil Europas und somit auch Österreich. Ihre Expansionskraft dürfte auf die Einwanderung neuer Bevölkerungselemente zurückzuführen sein; wieweit diese mit den Illyrern zu identifizieren sind, ist fraglich. Für die Frühphase, in Niederösterreich und Burgenland nach den Fundorten Baierdorf–Velatitzgruppe genannt, sind Riesenschwerter und hohe doppelkonische Gefäße kennzeichnend. Oberösterreich, Salzburg und Tirol zeigen starke Beziehungen zu Südostdeutschland, Vorarlberg orientiert sich nach dem Westen. Die weite Verbreitung der nordtiroler Urnenfelder hängt mit dem Kupferbergbau in Kitzbühel und Schwaz zusammen. Der jüngeren Epoche gehören die Funde von Stillfried, Hadersdorf am Kamp und Wien 22 – Groß Enzersdorf an.

Die Grabbeigaben – einfaches Arbeitsgerät, Gebrauchsgegenstände, anspruchsvoller Schmuck, kostbare, reich verzierte Waffen –, die eine erstaunliche Formenfülle aufzuweisen haben, bezeugen ein hochentwickeltes Kunsthandwerk. Das für die Urnenfelderzeit typische Gefäß ist die Zylinderhalsurne mit Zierleisten, Strichdekor, Riefen und Kanneluren. Bei ihrer Tiroler Spielart, der Säulchenurne, sind zur Unterstützung des Mundsaumes auf der Schulter kleine Säulchen angebracht.

Ein reiches künstlerisches Schaffen ist auch für die nachfolgende Hallstattkultur (9.–5. Jahrhundert v. Chr.) bezeugt, die sich aus einer Reihe regionaler Gruppen der Urnenfelderzeit entwickelt hat. Zu unterscheiden sind ein West- und ein Ostkreis; Hallstatt selbst, durch sein berühmt gewordenes Gräberfeld der namengebende Ort, liegt in der Grenzzone der beiden Provinzen. Kulturträger dieser Epoche waren kriegerische Bauern, für die Spätstufe läßt sich sogar ein Kriegeradel nachweisen. Seinen Reichtum verdankte er dem Salzhandel sowie der damals einsetzenden Eisengewinnung und -verarbeitung. Wohl kannte man den neuen Rohstoff in Mitteleuropa bereits um die Jahrtausendwende, doch wurde er anfangs wegen seiner Seltenheit nur für Schmuckstücke und zu Einlegearbeiten in Bronze verwendet. Eine regelrechte Eisenproduktion setzte erst in der Hallstattzeit ein.

Der bereits industriell betriebene Salzbergbau in Hallstatt und am Dürrnberg bei Hallein führte zur kommerziellen Erschließung der Hochalpen. Die dort ansässigen Salzherren konnten sich im Mittelmeergebiet angefertigte Luxusgegenstände leisten. Durch rege Geschäftsverbindungen mit dem Süden wurden auch Stil und Lebensweise entscheidend beeinflußt. Andererseits strahlte wiederum dieses alpine Industriezentrum mit dem exportierten Salz seine Kunst nach allen Seiten hin aus. Die unterschiedlichen Grabausstattungen lassen eine starke Differenzierung der Sozialstruktur erkennen. Neben ausgedehnten Nekropolen mit Flachgräbern gibt es Hügelgräber verschiedener Größe, oft riesenhafte, bis zu 16 Meter hohe Tumuli über kunstvollen Grabkammern aus Holz; oft wurden Pferd und Wagen mitbestattet. Von weltweiten Handelsbeziehungen zeugen die reichen Beigaben, unter denen neben kunstvollen bodenständigen Arbeiten auch viele Importstücke zu finden sind: Bronzebehälter, Kultgerät, Tierfigürchen, Waffen, Schmuck aller Art, auch aus Gold, kostbares Tafelgeschirr, Glas, bearbeiteter Bernstein von der Ostseeküste und Elfenbein aus Afrika.

Die nach einem Schweizer Fundort benannte Latènekultur, die den Zeitraum von 450 v. Chr. bis zur Besetzung des österreichischen Raumes durch die Römer umfaßt, ist untrennbar mit dem Volk der Kelten verbunden, das im 5. Jahrhundert v. Chr. vom Westen her eindrang und hier das erste greifbare Staatsgebilde der Ostalpen, das Königreich Noricum, errichtete. Es umfaßte das gesamte heutige Österreich mit Ausnahme von Tirol und Vorarlberg. Vorwiegend ließen sich die Kelten an politisch und wirtschaftlich bedeutenden Orten nieder; interessant für sie waren vor allem die beiden Salzmetropolen sowie die Eisenproduktion in Kärnten. Die ehemalige Bedeutung von Hallstatt scheint nach der Landnahme bald für längere Zeit auf den verkehrsmäßig wesentlich günstiger gelegenen Dürrnberg übergegangen zu sein.

Die Neuankömmlinge durchsetzten die bodenständige Bevölkerung, ohne sie jedoch zu verdrängen; sie bildeten lediglich eine dünne Oberschicht und sind im gesamten österreichischen Gebiet durch Bodenfunde, Orts- und Gewässernamen nachzuweisen.
Größere keltische Siedlungsgebiete gab es im Weinviertel, im nördlichen Burgenland, in der Gegend von Linz, im Salzburger, Klagenfurter und Wiener Becken sowie in der Mittelsteiermark. An wirtschaftlich interessanten Örtlichkeiten bestanden Enklaven inmitten der eingesessenen Bevölkerung. Im 2. Jahrhundert v. Chr. wurden die zwischen dem Königreich Noricum und Rom schon lange bestehenden Kontakte vertraglich geregelt. Die römische Okkupation in den Jahren 16/15 v. Chr. dürfte daher mit wenigen Ausnahmen durchaus friedlich verlaufen sein. Von den keltischen Städten (oppida) hatte die Ansiedlung auf dem Magdalensberg (Kärnten) im 1. Jahrhundert v. Chr. überregionale Bedeutung.
Die Latènezeit repräsentiert die Kunst der Kelten. Was an Funden aus den reichen Gräbern am Dürrnberg geborgen wurde, gehört zu den künstlerischen Hochleistungen des Landes. Die Kelten, ausgezeichnete Schmiede, setzten zum Teil die hallstattzeitliche Tradition fort, zum Teil nahmen sie fremde Elemente aus dem Süden auf und gestalteten sie in höchst eigenwilliger Weise um. Dies trifft auch für ihre Münzprägung zu, die um die Mitte des 2. Jahrhunderts v. Chr. einsetzte. Der keltische Kurvenstil hat das Vorbild, den makedonischen Stater, bis zur Unkenntlichkeit aufgelöst.
Das im Jahre 15 v. Chr. von den Römern annektierte norische Königreich wurde unter Kaiser Claudius (41–54 n. Chr.) als Provinz Noricum mit Virunum als Hauptstadt dem Imperium eingegliedert. Zu ihr gehörten Ober- und Niederösterreich (bis zum Alpenostrand) südlich der Donau, Salzburg, Osttirol, Kärnten und die Steiermark. Tirol und Vorarlberg waren Rätien, das östliche Niederösterreich und Burgenland Pannonien angeschlossen. Die Donau bildete die nördliche Grenze des Imperiums, doch hatte man auch jenseits des Flusses zur Sicherung des Reiches römische Kastelle errichtet.
Der Römerherrschaft, die etwa ein halbes Jahrtausend währte, ist ebenfalls eine reiche Hinterlassenschaft an Kunstdenkmälern zu danken. Die archäologischen Grabungen brachten und bringen weiterhin imposante Überreste ausgedehnter Stadtanlagen mit Mosaiken, Wandmalereien, Altären, Grabmälern, Skulpturen und Gegenständen des täglichen Gebrauchs ans Tageslicht.
Mit den Zuwanderern aus dem Süden, den Soldaten, Verwaltungsbeamten, Kaufleuten und Handwerkern, verbreiteten sich in Österreich die kulturellen Errungenschaften und Lebensgewohnheiten der Römer. Die neugegründeten, planmäßig im Rastersystem angelegten Städte (z. B. Flavia Solva bei Leibnitz, Virunum bei Klagenfurt) wurden mit typisch römischen Bauwerken ausgestattet. Ein Forum als geistiges und politisches Zentrum, Tempelbezirke, Handelsmärkte, Thermenanlagen, Theater und gepflasterte Straßen prägten das Stadtbild. Die große Lagerfestung Carnuntum bei Deutsch Altenburg, Sitz des Statthalters von Oberpannonien, hatte 2 Amphitheater, eines für die Soldaten, das andere für die Zivilbevölkerung.
Sämtliche im Mutterland geläufigen Haus- und Villentypen waren auch in Österreich vertreten. Ein imposanter Palast südlicher Prägung wurde in Löffelbach (Steiermark) gefunden, ein groß angelegter Gutshof in Bruckneudorf (Burgenland). Mehrstöckige Wohnblöcke, sogenannte Insulae, gab es in den Städten. Als vornehmenes Stadtpalais kann das Atriumhaus in Aguntum bei Lienz bezeichnet werden.

Zur Ausschmückung der öffentlichen Anlagen und auch der Privathäuser wurden vielfach Künstler aus Italien herangezogen: Maler, Mosaizisten und Bildhauer. Diese Ateliers südländischer Prägung blieben nicht ohne Wirkung auf das bodenständige Kunstschaffen. Aus der Verschmelzung römischer und einheimischer Elemente entwickelte sich eine provinzialrömische Kunst typisch norisch-pannonischen Charakters. Als Beispiel seien die Bildhauerschulen von Flavia Solva, Carnuntum und Virunum genannt, die etwa um die Mitte des 2. Jahrhunderts n. Chr. blühten. Die dort tätigen Meister waren geschickte Eklektiker, die sich des Typenschatzes römischer Statuen bedienten und ihn auf ihre Art variierten. Die Verschmelzung einheimischer und importierter Elemente zeigt am deutlichsten die »Norische Volute«, eine reich profilierte Zierleiste, die Relief- oder Inschriftenfelder umrahmt und oben durch ein fast barock geschwungenes Mittelstück abgeschlossen wird.
Der Romanisierungsprozeß ging etwa 150 Jahre ungestört vor sich, begünstigt durch die Pax Romana, die eine solide wirtschaftliche Basis zur freien Entfaltung der Künste bot. Die ergrabenen Überreste bezeugen für alle Teile Österreichs eine hohe kulturelle Blüte. Diese wurde durch den Markomannen- und Qadeneinfall während der Regierungszeit des Kaisers Marc Aurel (161 – 180 n. Chr.) jäh unterbrochen. Wenn Rom die Situation auch retten konnte, das einstige Niveau ließ sich nicht mehr erreichen. Die innen- und außenpolitischen Ereignisse im 3. Jahrhundert n. Chr. waren einem weiteren kulturellen Aufschwung wenig förderlich, daran änderten auch nichts die Reichsreform Diocletians und das Kaisertreffen in Carnuntum im Jahr 307 n. Chr. Im Verlauf des 5. nachchristlichen Jahrhunderts schied das österreichische Gebiet allmählich aus dem Verband des römischen Reiches aus.
In der Spätantike machte sich einerseits ein Qualitätsverfall der traditionellen Kunst bemerkbar, andererseits erwachten lokale Kräfte, brach die bodenständige Art wieder stärker hervor. Diese Entwicklung wird vor allem durch das Kunstgewerbe mit seiner sinnenfreudigen Zierlust dokumentiert.
Das Christentum dürfte an manchen Orten bereits in der 2. Hälfte des 3. Jahrhunderts n. Chr. Fuß gefaßt haben. Nach dem Toleranzedikt des Kaisers Konstantin 313 n. Chr. entfaltete sich ein reges Glaubensleben in allen Landesteilen. Vorerst wurden Profanbauten für religiöse Zwecke verwendet, z. B. das Südtor des Amphitheaters der Zivilstadt von Carnuntum als Taufkirche. Gerne verwandelte man heidnische Kultstätten, vor allem Tempel, in christliche Heiligtümer. Die ersten Bistümer sind für Aguntum, Teurnia bei Spittal an der Drau und Virunum bezeugt.
Die frühchristliche Kirche entwickelte sich aus dem schlichten, einfachen Saalbau, wobei die Kulthandlung mehr und mehr die Form bestimmte. Die baugeschichtlich älteste Anlage, ein rechteckiger Raum mit Priesterbank, wurde allmählich durch schmale Seitenräume und Ansetzen einer halbrunden Apsis erweitert. Für spätere Bauten, z. B. für die Bischofskirche in Lavant bei Lienz, war der Dom von Aquileia richtungsweisend. Übernommen wurden seine charakteristischen Merkmale wie halbkreisförmige Priesterbank, Apsiden, Altarraum mit Schrankenplatten, Taufkapelle und Vorhalle für die Ungetauften.
Aus dem künstlerischen Schaffen der Völkerwanderungszeit, in der auf österreichischem Gebiet vor allem die Rugier, Heruler und Langobarden eine Rolle spielten, haben sich hauptsächlich kunstgewerbliche Kostbarkeiten erhalten: Schmuck sowie Waffen und Waffengehänge. Ihre wesentlichen Merkmale sind eine unverkennbare Freude am Prunk, eine stark koloristische Note

sowie Vorliebe für Gold und bunte Steine. Der bedeutendste Fund dieser Art ist das Fürstinnengrab von Untersiebenbrunn im Marchfeld aus dem 5. Jahrhundert n. Chr.
Um 500 begannen bayrische Siedler, vom Westen her in Österreich Fuß zu fassen, im Osten rückten gegen 600 Awaren und slawische Stämme vor. In den Kämpfen zwischen beiden Völkern wurde um 610 Aguntum zerstört. Die allmähliche Landnahme Österreichs durch die Bayern läßt sich an ihren reich mit Beigaben ausgestatteten Gräberfeldern verfolgen. Als Beispiel sei für den Westen Pfaffenhofen in Tirol, für den Osten Linz-Zizlau angeführt. Tauschierte Riemengarnituren, Perlenketten, Fibeln, Gold- und Silberschmuck sowie kostbare Gebrauchsgegenstände zeugen von Reichtum und regen Handelsverbindungen nach allen Richtungen hin.
Frühestes bayrisches Kulturzentrum war Salzburg. Auf den Trümmern der römischen Stadt Juvavum gründete um 696 der hl. Rupertus das Kloster St. Peter. Bischof Virgil (745–784) ließ den ersten Salzburger Dombau errichten, laut Grabungsergebnissen eine dreischiffige Säulenbasilika mit absidialem Schluß, der im Westen ein großes Atrium vorgelagert war. Mit einer Gesamtlänge von über 90 Metern näherte sich der Bau den Dimensionen der großen italienischen Kirchen, wie z. B. S. Maria Maggiore in Rom.
Die Christianisierung der heidnischen Slawen- und Germanenstämme durch das Bistum Salzburg bewirkten irisch-angelsächsische Mönche im Verein mit dem bayrischen Herzogshaus der Agilolfinger. Deren insulare Linear- und Tierornamentik wurde vom heimischen Kunstschaffen, in dem sich die verschiedensten geistigen Strömungen begegneten, aufgenommen und selbständig weiterverarbeitet. Die Hauptwerke der Epoche, z. B. der Tassilokelch oder die in den Salzburger Klöstern geschriebenen Codici mit ihren Miniaturen (Cutbercht-Evangeliar, Codex Millenarius Maior) spiegeln diese Auseinandersetzung deutlich wieder.
Die ältesten noch erhaltenen Kirchen Österreichs gehören der Zeit an, in der das Donaugebiet, Kärnten und die Steiermark durch Karl d. Gr. dem Frankenreich eingegliedert wurden (St. Martin in Linz, St. Ruprechtskirche in Wien, Kirche der karolingischen Pfalz in Karnburg).
Salzburg, ab 798 Erzbistum und Metropole Bayerns, entwickelte sich in der Folgezeit zum bedeutendsten Kunstzentrum des ganzen Donau- und Ostalpenraumes. Der Dom wurde unter Erzbischof Hartwig (991–1023) vergrößert und nach einer Brandkatastrophe im Jahr 1167 durch Erzbischof Konrad III. um die Jahrhundertwende erneuert, wobei die Dimensionen abermals eine Steigerung erfuhren. Mit diesem Bau, einer fünfschiffigen Basilika, reihte sich Österreich in die führenden Kunstlandschaften Deutschlands ein. Eine ungefähre Vorstellung von der Pracht der 1598 ausgebrannten und anschließend abgebrochenen Bischofskirche vermitteln die romanischen Bauten Kärntens, die Stiftskirchen von St. Paul im Lavanttal und Millstatt sowie der Dom zu Gurk. Die Metropole selbst bezeugt ihren dominierenden Rang im 12. Jahrhundert mit den Nonnberger Fresken, dem vermutlich aus dem alten Dom stammenden Marientympanon (heute im Museum Carolino Augusteum) und den in den Salzburger Klöstern entstandenen Prachthandschriften (z. B. Admonter Riesenbibel, Antiphonar von St. Peter). Salzburgischem Kunstschaffen verpflichtet sind die Freskenzyklen von Lambach (Oberösterreich) und Pürgg (Steiermark). Die Wandmalerei, die zur Ausstattung des romanischen Gotteshauses gehörte, hatte die Aufgabe, dem eintretenden Gläubigen die christliche Heilslehre vor Augen zu führen und ihn wegweisend zum Altar hinzuführen.
Bevor die Reformbewegung der Hirsauer Benediktiner, die dem weltlichen Aufwand der rheini-

schen Dome entgegenwirken wollte und der flachgedeckten, dreischiffigen Säulenbasilika ohne Krypta den Vorzug gab, in Österreich Fuß fassen konnte, dominierte hier der bayrische Typus, eine querschifflose, basilikale, von Pfeilern getragene Anlage (Nonnberg, Kremsmünster). Bei späteren Bauten kam es oft zur Verschmelzung gegensätzlicher Richtungen, wie dies z. B. die Stiftskriche von Seckau zeigt, deren Weihung 1164 erfolgte. Auf bayrischem Grundriß erhebt sich eine Basilika mit sächsischem Stützenwechsel. Hirsauische Züge trägt die Bauplastik, Bandschlingenornamente im Zierat weisen auf lombardische Einflüsse hin. Westliche, bayrische, sächsische und südliche Elemente begegnen sich auch im Dom zu Gurk; dem hirsauischen Typus am nächsten kommt die Klosterkirche von St. Paul im Lavanttal. Der Auseinandersetzung mit verschiedenen Bauideen verdankt die österreichische Romanik ihre starke Lokalnote.
976 belehnte Kaiser Otto II. das Grafengeschlecht der Babenberger mit der Mark an der Donau (heutiges Niederösterreich), die in einer Urkunde Ottos III. 996 erstmals als »Ostarrîchi« bezeichnet wird. Durch ihre politischen Fähigkeiten erreichten die Markgrafen 1156 die Herzogswürde und konnten im 13. Jahrhundert die Steiermark und einen Teil Oberösterreichs dazugewinnen. Ihre Herrschaft, die bis 1246 dauerte, bedeutete eine entscheidende Phase im Werden Österreichs. In der Kunst traten die Babenberger bald zum Konkurrenzkampf mit Salzburg an. Überragende Leistungen hatte damals vor allem das Kunsthandwerk zu verzeichnen. Neben einheimischen Kräften waren auch Wanderkünstler im Babenberger Land tätig, z. B. Nikolaus von Verdun. Zeigten die Gründungen der Stifte Klosterneuburg und Heiligenkreuz den Beginn der künstlerischen Entfaltung an, so überflügelten die Denkmäler, die Herzog Leopold VI. (1195–1230) errichten ließ, jene der erzbischöflichen Metropole. Sein Hof in Wien war Sammelpunkt aller Künste. Dem architektonischen Reichtum der damals erbauten Kreuzgänge von Zwettl, Lilienfeld und Heiligenkreuz, in denen bereits die Gotik anklingt, läßt sich kaum etwas Gleichartiges entgegensetzen.
Eine mehr konservative Haltung im Kunstschaffen führte unter dem letzten Babenberger, Friedrich dem Streitbaren, in den Donauländern zu einer Spätblüte der Romanik, wie dies z. B. die Westfassade der Stephanskirche in Wien mit ihrem reichen Figurenschmuck zeigt. Zu den Eigentümlichkeiten dieses Abschnitts gehört die Vorliebe für kostbar ausgestattete Bauteile bzw. Kleinbauten (Kirche von Schöngrabern). Eine österreichische Besonderheit sind die zahlreichen Karner, die Totenkapellen, mit ihren vielfach abgestuften Portalen, die meist neben der Pfarrkirche im Friedhof stehen (Tulln, Mödling, Deutsch Altenburg, Hartberg). Von der Rundkirche unterscheiden sie sich durch Zweigeschoßigkeit.
Zurückgreifen auf normannischen Zierat (Zickzackmuster, Bandornamente, Bogenfriese), reicher plastischer Schmuck und sogenannte Knotensäulen – wohl oberitalienischer Herkunft – kennzeichnen die Spätphase der Romanik, deren Ende in Österreich mit dem Tod des letzten Babenbergers, 1246, angesetzt werden kann.
Aus den nachfolgenden Machtkämpfen um das hinterlassene Erbe ging Rudolf von Habsburg als Sieger hervor. 1282 belehnte er seine beiden Söhne Albrecht und Rudolf mit den babenbergischen Ländern und legte so den Grundstock zur habsburgischen Hausmacht.
Nachdem Albrecht 1298 die Königskrone erlangt hatte, festigte sich die Vormachtstellung der Residenzstadt Wien weiter. Auf dem Gebiet der bildenden Kunst kam es zu Höchstleistungen. Von zentraler Bedeutung war die Umformung, die der Sakralbau in dieser Zeit erfuhr. Gegenüber dem

herkömmlichen basilikalen Typus – hohes Mittelschiff, niedrige Seitenschiffe – wurde nun der Hallenkirche mit gleich hohen Schiffen der Vorzug gegeben. Der Albertinische Bau des Stephansdomes, die Hallenchöre und -kirchen der Augustiner und Minoriten in Wien gehören mit denen der Zisterzienserabteien in Heiligenkreuz und Zwettl zu den Hauptleistungen der Frühgotik. In der Habsburger-Residenz entfalteten sich damals auch bedeutende Bildhauerwerkstätten. Von einer selbständigen österreichischen Kunstentwicklung zeugen z. B. Marienstatuen, die zwar das französische Vorbild nicht verleugenen können, im Ausdruck aber menschlicher und lieblicher sind und bereits auf die späteren sogenannten »schönen Madonnen« hinweisen. Die ersten Hauptwerke deutscher Tafelmalerei werden durch die 1331 geschaffenen Temperatafeln auf der Rückseite des »Verduner Altares« repräsentiert. Die Wandgemälde in Gurk gehören zu den bedeutendsten Vertretern des Zackenstils, ihnen verpflichtet ist ein Tympanonfresko in der Dominikanerkirche zu Krems.

In der 2. Hälfte des 14. Jahrhunderts, stand das Wiener Zentrum, wohl gefördert durch die verwandtschaftlichen Beziehungen der beiden Herrscherhäuser, unter dem Einfluß böhmischer Kunst. Herzog Rudolf IV., der Stifter, war mit einer Tochter Kaiser Karls IV., der zu Prag Hof hielt, verheiratet. Diese Verbindung brachte allerdings nur vorübergehend Zusammenarbeit und Vorteil, meist dominierte die Rivalität. Mit dem erweiterten Langhausneubau des Stephansdomes trat der Habsburger zu den Prager Bauten Peter Parlers in Wettbewerb. Grazile Eleganz kennzeichnen die höfischen Kunstwerke dieser Zeit, z. B. die in der Wiener Herzogswerkstätte angefertigten Glasfenster für die Westempore von St. Stephan und die Stiftskirche in Viktring.

Im Laufe des 13. Jahrhunderts waren durch die Reformbestrebungen der Zisterzienser und Bettelorden die Türme im Erscheinungsbild der Kirche stark zurückgetreten. Ab der Mitte des 14. Jahrhunderts bahnte sich jedoch neuerlich eine Vorliebe für sie an, die ihren Höhepunkt um 1400 erreichen sollte (Wallfahrtskirche in Straßengel, Stephanskirche, Maria am Gestade in Wien). Selbst den als Glockenträger dienenden Dachreitern der Ordenskirchen verlieh man turmähnliches Aussehen und architektonische Selbständigkeit.

Die Kunst um 1400, der sogenannte weiche oder schöne Stil hatte europäische Bedeutung. Die einzelnen Kunstzentren beeinflußten sich gegenseitig sehr stark, die nationalen Eigenarten kamen in dieser Zeit einander so nahe, daß eine Scheidung oft schwer fällt. Der schöpferische Beitrag, den die Wiener Architektur zur Ausbildung dieses Stils in Österreich leistete, war eine reiche plastische Durchgestaltung der Wandstruktur. Als bedeutendster Baumeister am Habsburger Hof wäre Michael Chnab zu nennen. Niederbayrisches Gedankengut kam mit den Bauten Hans von Burghausens nach Österreich (Chor der Franziskanerkirche in Salzburg). Es wirkte sich vor allem bei der Gestaltung von Innenräumen aus. Der Kirchentypus, der im Einflußbereich dieses Meisters entstand und ausschließlich im oberösterreichisch-bayrischen Raum zu finden ist, verbindet die Zwei- und Dreischiffigkeit mit dem Zentralraumgedanken.

In Plastik und Malerei sind ein weicher ungebrochener Faltenfluß mit weiten schwungvollen Linien die wesentlichen Merkmale des »schönen Stils«, an dem in Österreich lange festgehalten wurde.

Auf ihn folgte – wie in ganz Europa – im 2. Drittel des 15. Jahrhunderts ein kräftiger Realismus, der sich vor allem in einer gedrungenen Körperplastik, kantigen Faltengebung, Vertiefung des Bildraumes und stimmungsvollen Naturschilderung äußert. (Meister des Albrechtaltares in

Klosterneuburg). Relativ früh übernahmen die Wiener Maler die sachliche Wirklichkeitsschilderung der niederländischen Meister aus der Mitte des 15. Jahrhunderts (Hochalter der Schottenkirche in Wien).
In der Architektur zeichnete sich um 1430 der allgemeine Stilwandel durch ähnliche Tendenzen ab (relativ niedrige, breit gelagerte Räume, Materialbetontheit), die aus der harmonischen Ausgewogenheit der Hochgotik herausführten und zur Spätphase überleiteten. Es entwickelte sich ein neuer Typ, die Wandpfeilerkirche, bei der die Streben, die einst den Außenbau vertikal gegliedert hatten, nunmehr in den Raum einbezogen sind. Neu, aber bereits im späten 13. Jahrhundert vorgebildet ist auch eine staffelartige Erhöhung des Mittelschiffes, wodurch gewisse malerische Effekte hervorgerufen werden. Im ländlichen Bereich setzte sich die breite Saalkirche durch.
Mit der Krönung Friedrichs III. zum Kaiser im Jahr 1452 ging die höchste Würde des »Heiligen Römischen Reiches Deutscher Nation« auf das Haus Habsburg über. Friedrich III. wählte als Residenz den Hof seines Vaters in Wiener Neustadt und begann dort eine rege Bautätigkeit. 1449–1460 errichtete Peter Pusika, sein bedeutendster Baumeister, der vermutlich aus Polen gekommen war, die Georgskapelle in der Burg.
Mit der spätgotischen Architektur untrennbar verbunden sind die Namen Hans Puchsbaum (Pfarrkirche von Steyr, Wölbung am Langhaus von St. Stephan, Planung des Nordturmes) und Anton Pilgram (letzter Dombaumeister von St. Stephan).
Hatten am Anfang des 15. Jahrhunderts Wien und die Steiermark die höchsten Leistungen in der bildenden Kunst zu verzeichnen, so trat um die Jahrhundertmitte Salzburg mit der überragenden Malerpersönlichkeit Conrad Laib erneut in den Vordergrund. Die Malerei des Landes stand bis zum Ende der Gotik unter dem beherrschenden Einfluß dieses großen Künstlers. Die Meister von Großgmain und Mondsee sowie Rueland Frueauf d. Ä. setzten seinen Stil fort.
In der Spätgotik des hohen 15. Jahrhunderts schlug die große Stunde der Grafschaft Tirol, die 1363 Margarete Maultasch nach dem Tod ihres Sohnes den Habsburgern übergeben hatte. Der im Lauf der Zeit immer intensiver betriebene Abbau der ausgedehnten Silber- und Kupfervorkommen verhalf dem »Land im Gebirge« zu einem bis dahin unbekannten Reichtum, der sich in einer regen Bautätigkeit äußerte. Das erste bedeutende Werk war die Stadtpfarrkirche in Hall (1434–1436), den Höhepunkt erreichte die Tiroler Bauschule mit der 1460 begonnenen Marienkirche in Schwaz. Ihr Typus, eine zweichorige Halle, bei der Bürgerschaft und Knappen, verschiedene soziale Schichten, jeweils ein eigenes Schiff besaßen, fand besonders in Bergbaugebieten Verwendung.
Innsbruck wurde unter Erzherzog Sigismund dem Münzreichen und seinem Erben, Kaiser Maximilian I., zur wichtigsten Habsburger-Residenz. Europäische Bedeutung hatte des Landes großer Sohn, der Maler und Bildhauer Michael Pacher, der Schöpfer vieler Altäre, von denen der zu St. Wolfgang in Oberösterreich als sein Hauptwerk bezeichnet werden kann. Durch die Verschmelzung deutscher und niederländischer Gotik mit den Errungenschaften der italienischen Frührenaissance ging er neue Wege.
Anfang des 16. Jahrhunderts verlagerte sich der künstlerische Schwerpunkt in den Donauraum. Die dort tätige Malschule, die Donauschule genannt, stellt den Beitrag Österreichs zur europäischen Stilbewegung der Renaissance nördlich der Alpen dar und ist ebenso wie die Spätgotik mit der Persönlichkeit des Kaisers Maximilian I. und dessen Kunstkreis verbunden. Ihre Hauptlei-

stung war ein neues Verhältnis zu Natur und Mensch. Gesteigertes Gewicht wurde auf die Wiedergabe der heimatlichen Landschaft gelegt, in sie sind die figürlichen Darstellungen eingebettet. Die Natur ist ein wesentlicher Bestandteil der Bildkomposition geworden, sie greift den Ausdruck des szenischen Geschehens auf und steigert ihn. Die Frühwerke Lukas Cranachs d. Ä. stehen am Anfang der Entwicklung. Bedeutendster Vertreter war Albrecht Altdorfer, der Schöpfer des selbständigen Landschaftsbildes in der Kunst. Neben ihm wirtke Wolf Huber, dessen romantische Landschaftszeichnungen von einer tiefen Naturempfindung zeugen. Charakteristische Einzelheiten, wie z. B. das Motiv des Baumes, gewinnen bei ihm Eigenständigkeit. In der Malerei der Donauschule macht sich auch ein neues Gefühl für die Farbe bemerkbar. Die Zentren der Bewegung innerhalb Österreichs sind Wien, Klosterneuburg, Krems, der Raum Salzburg-Passau und außerhalb des Landes: Passau, Landshut und Regensburg. Die Ausstrahlungen reichen nach Kärnten, in die Steiermark, nach Tirol, Böhmen, Mähren und Ungarn. Während der Malstil sich von Wien ausgehend nach Westen verbreitete, verlief die Einflußsphäre der Plastik umgekehrt. Sie ist vor allem durch eine bis zur Übersteigerung erregte Dynamik gekennzeichnet (Altäre von Pulkau, Mauer und Zwettl).

Der neuen Stilbewegung konnte sich auch die Architektur nicht entziehen. Sie nahm malerische Elemente auf, begann sich durch Schlingrippen-Netzgewölbe, gedrehte Säulen, hängende Schlußsteine, geknickte Dienste und zu Ästen umgebildetes Maßwerk von ihrer statischen Gesetzmäßigkeit frei zu machen. Das Wesentliche, das die Donaustilarchitektur von den allgemeinen Tendenzen der Spätgotik abgrenzt, sind das Irreale und die spannungsgeladenen barocken Kontraste. Die Blütezeit der sakralen Kunst endete – wie in Deutschland, so auch in Österreich – um 1530 mit dem Beginn der Reformation.

Die führende Rolle im Kunstschaffen der nächsten Jahrzehnte übernahm zunächst die Profanbaukunst. War die erste Epoche der Renaissance in Österreich, die parallel zur letzten Phase der Spätgotik verlief und mit dem Türkeneinfall im Jahre 1529 endete, eher eine modische Strömung, bei der lediglich einzelne dekorative Details aus Oberitalien übernommen wurden, so folgte man im 2. Jahrhundertdrittel auch im Gesamtstil den italienischen Vorbildern. Schlösser und Bürgerhäuser erhielten palastartige Fassaden, Arkadengänge, Laubenhöfe, monumentale Portale und Innenräume. Die meisten Renaissanceprofanbauten entstanden zwischen 1540 und 1600, in einer Zeit also, die mit der Verbreitung der Reformation zusammenfällt. Allerdings vollzog sich in Österreich die Wiedergeburt der Antike nicht mit derselben Intensität wie im Süden. Dem stand die starke Bindung zur heimischen Tradition im Wege. Weiters kamen die auswärtigen Anregungen, die zuerst Fuß faßten, nicht aus den Zentren der Renaissance, sondern aus dem oberitalienischen Raum, der seinerseits nicht frei von gotischen Einflüssen war, später aus den Niederlanden, die ihrerseits bereits Kontakt mit dem Süden aufgenommen hatten. Gefördert wurde der neue Stil an den Höfen des Kaisers (Wien, Innsbruck, Wiener Neustadt) und der Erzherzöge (Graz, Innsbruck, vorübergehend Linz).

Die entwerfenden Architekten kamen meist aus Oberitalien; ihre große Fertigkeit im Festungsbau spielte angesichts der drohenden Türkengefahr für die Berufung eine nicht unmaßgebliche Rolle, auch hatten sie neue künstlerische Ideen auf dem Gebiet des profanen Repräsentationsbaues, für den es in Österreich keine Vorbilder gab (Domenico dell'Allio, Antonio Canevale, Giovanni und Alberto Lucchese, Pietro Ferabosco).

In Wien ließ Kaiser Ferdinand I. die Stall- und Amalienburg erbauen sowie die Hofburg erweitern. Die Residenz Graz erlebte unter Erzherzog Karl eine besondere Blüte. In Innsbruck wurden während der Regierungszeit Erzherzog Ferdinands II. alle führenden Künstler zur Ausgestaltung von Schloß Ambras herangezogen. Den Ausbau des Linzer Schlosses ordnete Ende des 16. Jahrhunderts Kaiser Rudolf II. an. Die bedeutendsten Adelssitze der Renaissance sind die Schallaburg bei Melk, Tratzberg in Tirol und Schloß Porcia in Spittal an der Drau. Die Mitte zwischen Residenz und Schloß nehmen die Landhäuser der Stände ein, die mit ihren prunkvollen Arkadenhöfen (Linz, Graz) das wachsende Selbstbewußtsein des Bürgertums dokumentieren und in Konkurrenz zu den Fürstenbauten errichtet wurden.
Die wenigen Sakralbauten, die im 16. Jahrhundert entstanden, sind äußerst schlicht und meist mit dem Profanbau verbunden (Schloßkapellen, Mausoleen); für größere Kirchen fehlte die Voraussetzung: laut Luthers Gebot sollte das Gotteshaus nicht viel anders als ein weltliches Haus sein. Ihrem Stil nach sind die damals errichteten katholischen Kirchen (Hofkirche in Innsbruck 1553, Maria, Königin der Engel in Wien 1582/83) traditionsgebundener als die protestantischen. Hier ist selbst in der zweiten Jahrhunderthälfte noch ein Nachleben der Gotik bemerkbar, die Renaissance kommt nur bei dekorativen Details zu Wort.
Die stilistische Entwicklung in Plastik und Malerei zeigt einen äußerst vielschichtigen Verlauf. Das künstlerische Schaffen konzentrierte sich auf die Fürstenhöfe. Sie waren Ort der Auseinandersetzung zwischen dem Neuen und dem Überlieferten, nicht aber das Betätigungsfeld überragender Persönlichkeiten. Hier trafen die gegensätzlichsten Stilrichtungen aufeinander, hier fanden vielfältige Umwandlungen der Ausdrucksformen statt. Neben einheimischen Kräften wie z. B. dem Maler Jakob Seisenegger waren auch Wanderkünstler aus italienischen und niederländischen Werkstätten beschäftigt (z. B. Giuseppe Arcimboldo, Pietro de Pomis, Lukas van Valkenborch, Bartholomäus Spranger, Hans von Aachen, Alexander Colin). Im Mittelpunkt der intensiven Auseinandersetzung mit italienischen Vorbildern stand das repräsentative Porträt.
Einen Höhepunkt hatte im 16. Jahrhundert das Kunsthandwerk zu verzeichnen. Die »welsche und antikische« Manier war ein im Norden begeistert aufgenommenes Vorbild. Das steigende Bedürfnis höfischer und auch bürgerlicher Kreise, die Gebrauchsgegenstände nach ästhetischen Gesichtspunkten zu gestalten, führte zu einer Blüte der Wohnkultur. Die Habsburgerfürsten waren nicht nur Kunstförderer, sie entfalteten auch eine rege Sammeltätigkeit, trugen zusammen was ihnen von Wert erschien und stellten dies in Kunst- und Wunderkammern auf. Das Kunsthandwerk war damals den Schöpfungen der freien Künste gleichgestellt.
Die mit der Gründung des Jesuitenordens (1540) einsetzende Gegenreformation faßte in Österreich rasch Fuß. Diese ungemein dynamische religiöse Bewegung, die die Erneuerung des katholischen Glaubens brachte, nahm ihren Ausgang von der Steiermark und wurde unter dem streng katholisch erzogenen Kaiser Rudolf II. (1576–1612) mit sichtbarem Erfolg weitergeführt. Zum Abschluß kam sie in Österreich allerdings erst gegen die Mitte des 17. Jahrhunderts, als auch die letzten niederösterreichischen Lutheraner zum alten Glauben zurückgekehrt waren. Lediglich eine kleine Gruppe von Edelleuten besaß das Vorrecht, an ihrem evangelischen Bekenntnis festhalten zu dürfen.
Nach außen manifestierte sich die Gegenreformation in einer immensen Bautätigkeit der Klöster und bischöflichen Residenzen, die weder durch den Dreißigjährigen Krieg noch durch die Tür-

keneinfälle aufgehalten werden konnte. Die Impulse gaben die Jesuiten, die Träger des neuen Gedankengutes. Die bildenden Künste hatten die Aufgabe ein Gesamtkunstwerk zu schaffen, das die Welt des Glaubens der in der diesseitsfreudigen Renaissance skeptisch gewordenen Menschheit erneut vergegenwärtigen sollte. Die päpstliche Residenz zu Rom und der Escorial bei Madrid standen als Leitbilder im Hintergrund.

Die katholischen Bauherren nahmen wiederum Kontakt mit Italien auf, sodaß der erste Abschnitt – bis gegen Ende des 17. Jahrhunderts (Frühbarock) – hauptsächlich von Künstlern südlicher Herkunft getragen wurde.

Zur ersten Großleistung der neuen Kunst kam es in Salzburg unter dem baubesessenen Erzbischof Wolf Dietrich von Raitenau (1587–1612). Eine Brandkatastrophe des Jahres 1598, der große Teile der Stadt zum Opfer gefallen waren, kam ihm dabei gelegen. Um Platz für seine Residenz zu gewinnen, die mit einer prunkvollen Kathedrale ein zweites Rom werden sollte, wurden neben zahlreichen Häusern auch die Überreste der ausgebrannten romanischen Basilika abgetragen. Die Pläne für den neuen Dom, der den ohnehin schon riesigen Altbau in den Ausmaßen noch zu übertreffen suchte, lieferte 1606/07 Vincenzo Scamozzi. Durch den politischen Sturz Wolf Dietrichs kam dieser Entwurf allerdings nicht zur Ausführung. Sein Nachfolger Marcus Sitticus berief Santino Solari als Hofbaumeister zu sich, nach dessen Plan schließlich 1614–1628 der heutige Bau errichtet wurde, der dem weiterentwickelten Typus von Il Gesú in Rom folgt.

Am Salzburger Dom orientierte sich die 1627 begonnene Jesuitenkirche in Innsbruck. Der erste große Neubau des Jesuitenordens in Wien war die Universitätskirche, die Kaiser Ferdinand III. 1623 dem Kollegium stiftete.

In der 2. Jahrhunderthälfte nahm die Architektur allmählich bodenständige Züge an, wohl durch die Aufnahme und Einbürgerung nichtösterreichischer Künstler in den heimischen, mehr handwerklich gefärbten Kunstbetrieb. Er bereitete den Boden für die kommende Blüte des österreichischen Barocks vor, die schlagartig in den achtziger Jahren, nach der Abwehr der Türkengefahr unter Leopold I. einsetzte. Wien wurde Zentrum europäischer Kunst und Kultur. Der Universalstil, der sich hier, vom italienischen Hochbarock und der französischen Klassik ausgehend, entfaltete, strahlte in die gesamte Monarchie aus und wurde auch vorbildlich für die deutsche Baukunst. Zunächst waren es Johann Bernhard Fischer von Erlach und Johann Lukas von Hildebrandt, die dem neuen Stil mit ihren Schöpfungen (Karlskirche, Schönbrunn, Belvedere) Weltgeltung verschafften; zu ihnen gesellte sich etwas später der bedeutendste Stiftsbaumeister Österreichs, Jakob Prandtauer, mit seinen palastartigen Klosteranlagen (Melk, St. Florian). Josef Munggenast und Matthias Steinle bildeten den Abschluß.

Eine Barockarchitektur von ausgeprägter bodenständiger Eigenart entfaltete sich am Anfang des 18. Jahrhunderts in Tirol (Johann Martin und Georg Anton Gumpp); ebenso selbständige Arbeiten schuf die Vorarlberger Bauschule (Michael Beer, Michael Kuen, Michael Thumb). Plastik und Malerei waren als dienende Künste der Architektur untergeordent, bestimmten aber den Gesamteindruck. Ein wesentlicher Bestandteil des sakralen Innenraumes wurde im 17. Jahrhundert der Stuckdekor, der anfangs lediglich die vorgegebenen Architekturformen begleitet und umrahmt, später jedoch Wände und Decke spielerisch mit sprießendem Blattwerk und figürlichen Darstellungen überzieht. Waren zunächst die der Malerei vorbehaltenen Felder klein, so nahmen sie im Lauf der Entwicklung immer mehr Raum in Anspruch. Dem Gesamtkonzept fügt sich auch der

Altar ein. Wiederum sind Architektur, Malerei und Bildnerei vereint. Der Aufbau, durch Säulen gegliedert und reich mit Plastiken, die seine Silhouette bestimmen, geschmückt, bildet den kostbaren Rahmen des Altargemäldes.
Aus der Fülle der in Österreich tätigen Bildhauer ragen die Gebrüder Zürn, Michael Zürn d. J., Thomas Schwanthaler, Meinrad Guggenbichler und Thaddäus Stammel hervor. Mit Georg Raphael Donners bedeutendsten Werken, dem Providentiabrunnen am Neuen Markt in Wien und der Pietá von Gurk, erreichte die österreichische Barockplastik ihren Höhepunkt, doch zeigen diese Schöpfungen bereits eine Wende an. Ihr leichter Protoklassizismus, der das große Pathos leugnet, steht am Anfang einer neuen Kunstauffassung.
Die Hochblüte der barocken Freskomalerei ist mit den Namen Johann Michael Rottmayr, Martin und Bartholomäus Altomonte, Daniel Gran und Paul Troger verbunden. Während den Malern der ersten Generation zu Beginn des 18. Jahrhunderts das römische Hochbarock sowie die flämische und französische Kunst des 17. Jahrhunderts als Vorbild dienten, ließ sich die zweite Generation mehr von den Venezianern leiten. Die beiden großen Meister des Spätbarocks waren Franz Anton Maulbertsch und Martin Johann Schmidt, genannt Kremser Schmidt.
Mit dem Tod des Türkenbezwingers Prinz Eugen (1730) und Kaiser Karls VI. (1740) endete das Zeitalter, das Österreichs Großmachtstellung begründet hatte. Nun war die Bewahrung des Bestandes die Hauptaufgabe. Die blutigen Kämpfe des Erbfolgekrieges mögen mit den innenpolitischen Reformbestrebungen dazu beigetragen haben, daß der grandiose Bauwille erlahmte. Die Hinwendung zu einem mehr bürgerlichen Ideal – auch in der Hofhaltung Maria Theresias – blieb nicht ohne Folgen auf die der Repräsentation geistlicher und weltlicher Macht dienenden Künste. So entwickelte sich ein dem Menschlichen näher stehender Spätstil, zart, bar jeder Schwere, das »Maria Theresianische Barock«, eine Spielart des Rokokos, die durch die Innenausstattung von Schloß Schönbrunn sowie durch die Erzeugnisse der Wiener Porzellanmanufaktur dokumentiert wird. Der Hinwendung zum Leichten schlossen sich auch die Bundesländer an, ohne jedoch eine ausgesprochene Rokokokunst hervorzubringen. Lediglich Oberösterreich tendierte in seinen westlichen Gebieten zum bayrischen Rokoko.
Im 19. Jahrhundert ist die bildende Kunst Österreichs äußerst vielgestaltig. Vom ausgehenden Barock bis 1900 lösten innerhalb kurzer Zeiträume mehrere Stile einander ab (Klassizismus, Biedermeier, Historismus, Jugendstil). Die Begriffe Biedermeier und Ringstraßenzeit bezeichnen einerseits die erste, andererseits die zweite Jahrhunderthälfte. Anfangs stand Österreich noch am Rande der europäischen Kunstentwicklung, die von Frankreich und Rom, oft über dorthin zugewanderte deutsche Künstler, diktiert wurde. Bis ins 2. Jahrzehnt hinein machen sich hier noch die Nachwirkungen des Barocks bemerkbar, wenngleich die Hinwendung zum neuen Stil, zum Klassizismus, bereits im ausgehenden 18. Jahrhundert erfolgt war (Bauten Josefs II).
Eine objektive Einstellung der Kunst gegenüber hatte das Interesse an der Vergangenheit geweckt, vorerst allerdings nur an der Antike, da diese dem neuen Bildungsideal der Aufklärung entsprach. Das Streben nach »edler Einfalt und stiller Größe« prägte das künstlerische Schaffen. Dazu gesellte sich, zum Teil angeregt durch die in Pompeji ausgegrabenen Ruinen, eine gewisse romantische Einstellung. An den jüngeren Barockkünstlern wie Kremser Schmidt und Maulbertsch ging die neue Entwicklung ebenfalls nicht spurlos vorüber. Die allmähliche Abkehr vom Pathos des 18. Jahrhunderts zeigt am deutlichsten das Porträt. Wegbereiter hierfür war der 1783 verstorbene

Bildhauer Franz Xaver Messerschmidt.
Die klassizistischen Bestrebungen führten in Österreich allerdings nicht zum Pomp des französischen Empire, sondern zu einer gemäßigteren, eher schlicht – vornehmen Spielart, die fast stufenlos in das darauffolgende Biedermeier überging. Führende Architekten waren Hohenberg von Hetzendorf (Palais Pallavicini in Wien), Peter Nobile (Theseustempel, äußeres Burgtor in Wien) und Josef Kornhäusl (Bibliothek des Schottenstiftes in Wien, Sauerhof in Baden). Die klassizistische Plastik hatte nur eine kurze Blüte erlebt. Hinter den Werken des Bildhauers Franz Anton Zauner (Denkmal Kaiser Josefs II.) steht die Kunst Antonio Canovas, der um die Jahrhundertwende im Auftrag adeliger Mäzene in Wien weilte (Grabmal der Erzherzogin Christine, Theseusgruppe). Hauptrepräsentant der klassizistischen Malerei war Heinrich Füger, ein aus Deutschland zugewanderter Künstler, der 1795 mit der Leitung der Wiener Akademie betraut wurde. Seine bedeutendsten Bilder sind Porträts, in denen sich Individualisierung und Idealisierung vereinigen.

Das Biedermeier, das die Zeit zwischen dem Wiener Kongreß 1815 und dem Revolutionsjahr 1848 umfaßt, war ein typisch österreichischer Stil mit ganz eigenem Charakter, der wesentlich von ähnlichen Richtungen in Deutschland und Skandinavien abweicht. Gekennzeichnet wird er durch eine hohe Wohnkultur, Gefühlsbetontheit und Liebenswürdigkeit. Die Hauptleistung dieser vom Bürgertum getragenen Epoche liegt in der Malerei, in den Bildern der Alt-Wiener Schule, der Ferdinand Georg Waldmüller, Friedrich von Amerling, Michael Daffinger, Josef Danhauser, Peter Fendi, Friedrich Gauermann und Rudolf von Alt angehören, um nur die wichtigsten zu nennen. Neben Porträt, Stilleben und Landschaft wird besonders das Genrebild gepflegt, das Szenen aus dem täglichen Leben schildert, vor allem kleine unbedeutende Ereignisse. Moritz von Schwind steht mit seiner märchenhaft romantischen Thematik außerhalb der Schule, ebenso der fast sein ganzes Leben in Rom weilende Joseph Anton Koch, der poetische, oft heroische, aber auch erzählende, intime Landschaften schuf, in denen Klassizismus und Romantik ineinanderverschmelzen.
Nach dem Revolutionsjahr 1848 setzte unter Franz Josef I. im Zuge der Stadterweiterung Wiens eine immense Bautätigkeit ein, die sich nur mit der des Hochbarock vergleichen läßt. Sie kann als letzte Selbstdarstellung der Habsburger-Monarchie bezeichnet werden. Die Schleifung der alten Befestigungsanlagen gab das zwischen Innenstadt und den Vorstädten gelegene Glacis zur Bebauung für den großzügigst geplanten Prachtboulevard, die Ringstraße, frei. Entlang dieser »Via triumphalis« fanden einheimische und fremde Architekten ein reiches Betätigungsfeld. Ihre Schöpfungen sind trotz aller Problematik des Historismus – des Rückgriffes auf die verschiedensten Stile der Vergangenheit – die städtebaulich größte Leistung in der 2. Jahrhunderthälfte. Nach griechischem Vorbild baute Theophil Hansen das Parlament; im Stil der flämischen und französischen Gotik entwarfen Friedrich Schmidt und Heinrich Ferstel das Rathaus und die Votivkirche. Der italienisch-französischen Renaissance ist die Staatsoper der Architekten Eduard van der Nüll und August Siccard von Siccardsburg verpflichtet. Gottfried Semper und Karl Hasenauer lieferten den Plan für ein imposantes Kaiserforum, das aber mit dem Kunst- und Naturhistorischen Museum, dem Burgtheater und der Neuen Hofburg nur zum Teil ausgeführt wurde (Neurenaissance, Neubarock). Musikvereinsgebäude, Akademie der bildenden Künste, Museum für angewandte Kunst und Universität sind der italienischen Renaissance verpflichtet.

Die führenden Bildhauer der 2. Jahrhunderthälfte waren Anton Dominik Fernkorn (Reiterstandbilder von Prinz Eugen und Erzherzog Karl in Wien) und Kaspar Zumbusch (Denkmal Maria Theresias in Wien), der eine voll naturalistischer Pathetik, der andere mehr dem Idealen zugewandt. Die dem Historismus gemäße Malerei gipfelt in den farbprächtigen, oft theatralischen Schöpfungen von Hans Makart und Hans Canon, die Zeit ihres Lebens im Banne eines Peter Paul Rubens und Anthonis van Dycks standen. Die eigentlich schöpferischen Leistungen sind jedoch bei Malern zu verzeichnen, die abseits des offiziellen Kunstschaffens standen, wie z. B. Anton Romako, der wenig Verständnis für barockes Pathos hatte. Er bildete einen eigenen Stil aus, in dem sich bereits der Expressionismus erahnen läßt. Emil Jakob Schindler vertritt mit seinen stimmungsvollen Wirklichkeitsdarstellungen die österreichische Variante des Impressionsismus. Mehr den Franzosen verpflichtet ist Theodor Hörmann.
Mit dem Tode Hans Makarts (1884), der nahezu 2 Jahrzehnte das künstlerische Leben Wiens wesentlich mitgeprägt hatte, dessen Einfluß sich auch auf Wohnstil und Mode erstreckte, ging der Historismus seinem Ende entgegen. Die Ringstraße war fertig, wurde bewundert, mehr jedoch abgelehnt. Die Bewegung des Jugendstils, die eine zweckgebundene Kunst forderte, faßte auch in Österreich Fuß. Einige junge Maler traten 1897 aus der Künstlervereinigung »Künstlerhaus« aus und gründeten eine neue Gruppe, die »Sezession«, der auch Architekten und Kunstgewerbler beitraten. Gustav Klimt, Josef Hoffmann, Carl Moll, Koloman Moser, Josef Maria Olbrich und Otto Wagner waren die Hauptvertreter des Wiener Jugendstils. Sie setzten sich zum Ziel, den stagnierenden Kunstbetrieb zu beleben, traten in Kontakt mit gleichgesinnten ausländischen Künstlern und errichteten nach dem Entwurf ihres Mitgliedes Olbrich in Wien ein eigenes Ausstellungsgebäude, die »Sezession«, die als Manifestation des neuen Kunstwollens gelten kann. Der Verbreitung ihrer Ideen diente die Kunstzeitschrift »Ver sacrum« (Heiliger Frühling). Gustav Klimt, der bedeutendste Jugendstilmaler, prägte, ähnlich wie Hans Makart vor ihm, die Kunst und Mode seiner Zeit. Otto Wagner wurde mit seinen Wiener Bauten (Steinhof, Stadtbahnstationen, Postsparkasse, Wohnhäuser) der Wegbereiter der modernen Architektur in Österreich. Durch die Gründung der Wiener Werkstätte 1903 ging auch das Kunsthandwerk einer Hochblüte entgegen. Mit Hilfe neugeschaffener Ornamentik wollte man zu einem eigenen Stil gelangen. Nach anfänglicher Überbetonung des pflanzlichen und abstrakten Dekors in Architektur und Kunstgewerbe setzte sich jedoch die Sachlichkeit im Bauen und Gestalten durch. Adolf Loos beschritt als erster diesen Weg. Er entwickelte – bewußt im Gegensatz zum Jugendstil – eine Ästhetik des Funktionalismus und wurde damit einer der Begründer des internationalen Stils der modernen Architektur (Haus am Michaelerplatz in Wien, 1910). Er konstruierte den Bau von der kubischen Grundform her.
Der Durchbruch zur modernen Plastik gelang Anton Hanak, der, ausgehend von Auguste Rodin, einen pathetischen Monumentalstil schuf.
Egon Schiele und Oskar Kokoschka begründeten eine spezielle Variante des Expressionismus. Ihr malerisches Werk zählt zu den Höhepunkten im österreichischen Kunstschaffen des 20. Jahrhunderts.
Einen jähen Einschnitt brachte das Schicksalsjahr 1918 – im wirtschaftlichen, politischen, gesellschaftlichen aber auch im künstlerischen Bereich. Die wichtigsten Repräsentanten der modernen Kunst, Gustav Klimt, Egon Schiele und Koloman Moser, waren verstorben, Oskar Kokoschka

ging nach Deutschland. In Österreich herrschte nach dem 1. Weltkrieg bis 1945 ein malerischer, breiter Nachimpressionismus, vertreten vor allem durch Anton Kolig, Josef Dobrowsky und Anton Faistauer. Diese in ihrer Grundhaltung konservative Kunst erfuhr durch den stark farbigen Expressionismus Herbert Boeckls in den zwanziger Jahren eine revolutionäre Steigerung. Alfred Kubin widmete sich mit seinen phantasievollen, dem Dämonischen zugeneigten Kompositionen ausschließlich der Graphik. Die Architektur zwischen den beiden Weltkriegen stand vorwiegend im Banne des sozialen Wohnbaues. Er gehörte zu den repräsentativen Aufgaben der Zeit. Mächtige Wohnblöcke – Städte für sich – wurden als »Gemeindebauten« zu einem eigenen Begriff, z. B. der 1927 von Karl Ehn erbaute Karl-Marx-Hof in Wien. Um 1930 begann die künstlerische Tätigkeit Fritz Wotrubas, eines Hanakschülers, der der modernen Bildnerei in Österreich seinen Stempel aufdrückte. Vom Werk des Lehrmeisters setzte er sich mit seinem Blockbau entschieden ab. Der Anschluß Österreichs an Deutschland im Jahr 1938 führte zur Stagnation des bisherigen kulturellen Lebens. Viele im ständigen Kontakt mit dem internationalen Kunstgeschehen stehende Maler, Bildhauer und Architekten mußten emigrieren. Der pathetische Stil des »Dritten Reiches« ging an Österreich jedoch ziemlich spurlos vorüber.
Nach dem Ende des zweiten Weltkrieges 1945 wurden Kubismus, Surrealismus und gegenstandslose Kunst heimisch. An der Wiener Akademie schuf sich Fritz Wotruba einen eigenen Schülerkreis (Alfred Hrdlicka, Johannes Avramidis), ebenso Albert Paris Gütersloh. Die Wiener Schule des Phantastischen Realismus ist Österreichs bedeutendster Beitrag zur internationalen modernen Kunst (Ernst Fuchs, Anton Lehmden, Arik Brauer, Wolfgang Hutter, Karl Korab u. a.). Der Architektur nach 1945 wies Roland Rainer den Weg mit seinen Ideen von Einfamilien-Reihenhäusern und Gartenstädten. Karl Schwanzer, der Erbauer des Österreichpavillons für die Brüsseler Weltausstellung 1958 (jetzt Museum des 20. Jahrhunderts in Wien), versucht Material, Konstruktion, Funktion und Formschönheit zu vereinen. Clemens Holzmeister greift in der Sakralarchitektur die Idee des hellen, hohen Chors der Gotik auf und bildet sie im modernen Sinn weiter. Das Wesen der heutigen Kunst wird durch eine Vielfalt gegensätzlicher Richtungen geprägt. In keiner der vergangenen Epochen gab es soviel Freiheit und Mut zum Experiment wie gerade jetzt. Wenngleich manches problematisch und verwirrend erscheint, gegen den kulturellen Rang des zeitgenössischen Schaffens spricht dies jedenfalls nicht.

In der kurzen einführenden Betrachtung wurde versucht, den Weg, den die bildende Kunst Österreichs nahm zu verfolgen, wobei im gegebenen Rahmen allerdings nur die wichtigsten Strömungen und Eigenarten aufgezeigt werden konnten.
Künstlerische Leistungen höchster Qualität hatten das Jungpaläolithikum, die Hallstatt- und Latènezeit, das Mittelalter um 1300 und 1500, das Barock, das Biedermeier sowie der Jugendstil zu verzeichnen. Mit den Werken dieser Epochen steht Österreich gleichrangig neben den anderen großen Kulturzentren Europas.

Fotografen und Bildstellen

Die Bildvorlagen verdanken wir folgenden Fotografen und Bildstellen

Lichtbildwerkstätte Alpenland, Wien 26, 129

A. Demanega, Innsbruck 79, 92, 93, 120

Herbert Fasching, Wilhelmsburg 35, 65, 66, 77

H. Gasser, Innsbruck 47, 85

Hirmer Verlag, München 49, 50, 63

Hofstetter-Dia, Ried i. I. 51, 60, 73, 78, 80, 81, 82, 83, 89, 97, 101, 102, 103, 105, 112, 113, 128, 132, 138, 139 140

Hans Huber, Garmisch-Partenkirchen 104

Otmar Kaiser, Klagenfurt 45, 62, 64

Fremdenverkehrsverband Linz 44

Stadtmuseum Linz – Franz Michalek 41

Löbl–Schreyer, Bad Tölz 56, 57, 58, 59, 61, 72, 75, 86, 87, 88, 94, 95, 96, 100, 106, 108, 109, 110, 111, 114, 115, 119, 124

Magnum-Photo (Erich Lessing), Paris 25, 28, 29, 30, 31, 32, 33, 42, 43, 67, 69, 91, 117, 133

Photo Meyer KG, Wien 34, 36, 40, 52, 53, 84, 90, 98, 116, 118, 130, 131, 134, 135, 136, 137, 142, 143, 144

Narbutt–Lieven & Co. OHG, Wien 122

Niederösterreichisches Landesmuseum, Wien 141

Oberösterreichisches Landesmuseum, Linz 27

Österreichische Fremdenverkehrswerbung, Wien 37, 70, 76

Österreichisches Museum für angewandte Kunst, Wien 55, 123, 126

Österreichische Nationalbibliothek, Wien 46, 48

Foto Ritter, Wien 68

Toni Schneiders, Lindau 74, 107

Ulrich O. Schwarz, Klagenfurt 38, 39

Steiermärkische Landesregierung, Landesfremdenverkehrsamt, Graz 71

Tiroler Landesmuseum Ferdinandeum 127

Tiroler Volkskunstmuseum – Voght, Innsbruck 125

Verlag Wolfsberger, Wien 99

Dr. Johannes Zachs, Eisenstadt 121

Vorarlberger Landesmuseum – Hofstetter-Dia 54

Sogen. Venus von Willendorf, Jungpaläolithikum, um 30000 v. Chr.
Wien, Naturhistorisches Museum

Unten: Diadem aus Pitten, Mittlere Bronzezeit, 1600–1200 v. Chr. Asparn a. d. Zaya, Museum für Urgeschichte des Landes Niederösterreich

Rechts: Tongefäß aus Kronstorf, Mittlere Bronzezeit, 1600–1200 v. Chr. Linz, Schloßmuseum des Oberösterreichischen Landesmuseums

Schöpfgefäß aus Hallstatt, Hallstattzeit, 6. Jh. v. Chr. Wien, Naturhistorisches Museum

Kultwagen aus Strettweg, Hallstattzeit, 7. Jh. v. Chr. Graz, Schloß Eggenberg

Links: Situla aus Kuffarn, Hallstatt – Latènekultur, Ende 5. Jh. v. Chr.
Wien, Naturhistorisches Museum

Unten: Trinkgelage, Detail aus gegenüberliegendem Bild

Links: Halbmondfibel aus Hallstatt, Hallstattzeit, Anfang 6. Jh. v. Chr. Wien, Naturhistorisches Museum

Rechts: Schnabelkanne vom Dürrnberg, Latènekultur, 350 v. Chr. Salzburger Museum Carolino Augusteum

Links: Votivstatue,
genannt Jüngling
vom Helenenberg,
1. Jh. v. Chr.
Wien, Kunsthistorisches Museum

Rechts: sogen. Heidentor,
3.–4. Jh. n. Chr.
Petronell – Carnuntum

Römische Gläser aus Carnuntum, 3. und 4. Jh. n. Chr. Bad Deutsch Altenburg, Museum Carnuntinum

Römischer Reisewagen, 2. Jh. n. Chr. Maria Saal, Pfarrkirche

Seite 38: Dionysos aus dem großen Dionysosmosaik von Virunum, letztes Viertel 3. Jh. n. Chr. Klagenfurt, Landesmuseum für Kärnten

Seite 39: Iphigenie, Römisches Fresko vom Magdalensberg (Detail), 20–15 v. Chr. Klagenfurt, Landesmuseum für Kärnten

Unten: Prunkfibeln aus Untersiebenbrunn, Anfang 5. Jh. n. Chr. Wien, Kunsthistorisches Museum

Rechts: Perlenketten aus Linz-Zizlau, 7. Jh. n. Chr. Linz, Stadtmuseum Nordico

Oben: Evangelist Matthäus, Detail aus gegenüberliegendem Bild

Links: Tassilokelch, salzburgisch, 769. Stift Kremsmünster

Martinskirche, Linz, karolingisch, um 800

Sakramentar aus St. Paul i. L., 9./10. Jh. Stift St. Paul

Evangelist Lukas aus dem Cutbercht-Evangeliar, salzburgisch, 8. Jh. Wien, Nationalbibliothek

Evangelist Johannes aus dem Innicher Evangeliar, süddeutsch, Anfang 10. Jh. Innsbruck, Universitätsbibliothek

Links: Admonter Riesenbibel, Szenen aus der Geschichte von Samuels Mutter Hanna, Salzburgisch, Mitte 12. Jh. Wien, Nationalbibliothek

Rechts: Wandmalereien im ehemaligen Westchor der Stiftskirche Lambach, letztes Drittel 11. Jh.

Unten: Geburt Christi aus dem Freskenzyklus der Johanneskapelle auf der Pürgg, 2. Drittel 12. Jh.

Rechts: Katzen-Mäuse-Krieg aus dem Freskenzyklus der Johanneskapelle auf der Pürgg, 2. Drittel 12. Jh.

Unten: Mittelteil vom Emailwerk des Nikolaus von Verdun, 1181. Stift Klosterneuburg, Leopoldskapelle

Rechts: Kreuzigung, Detail von Bild Seite 52

Seite 54: Kruzifix aus Ludesch, um 1160. Bregenz, Vorarlberger Landesmuseum

Seite 55: Gösser Ornat, Maria Lactans (Detail vom Pluviale), 1239–96. Wien, Österreichisches Museum für angewandte Kunst

OBLATIO YSAAC
VINAM QVE PER
IHESVS NAZAREN
QVA NOSTRA RVINA LEVATVR
VICTIMA MACTATVR
PASSIO DOMINI
TAS. DIVINA SE

Seite 56: Doppelarmiges Reliquienkreuz (Detail), deutsch 2. Hälfte 11. Jh. Salzburg, Dommuseum

Seite 57: Hostientaube, Limoges, 13. Jh. Salzburg, Dommuseum

Unten: Kanzelfuß in der Franziskanerkirche in Salzburg, um 1220

Rechts: Karner in Tulln, Portal, 2. Hälfte 13. Jh.

Seite 60: Stiftskirche St. Paul i. L., Apsiden des Chores, um 1200

Seite 61: Apsis der Kirche in Schöngrabern, 13. Jh.

Oben: Sündenfall aus dem Freskenzyklus der Westempore des Domes in Gurk, 1260–1271

Links: Krypta des Domes in Gurk, 1140–1174

Links: Kreuzgang im ehemaligen Stift Millstatt, 12. Jh.

Unten: Kreuzgang im Stift Zwettl, 1. Drittel 13. Jh.

Seite 66: Brunnenhaus im Stift Heiligenkreuz, Ende 13. Jh., Bleibrunnen Ende 16. Jh.

Seite 67: Klosterneuburger Madonna, österreichisch, Anfang 14. Jh.
Stift Klosterneuburg (Lapidarium)

Oben: Kreuzigung von der Rückwand des Verduner Altars, österreichisch, 1331.
Klosterneuburg, Stiftsgalerie

Rechts: Ziborium, Wien oder Konstanz, 1325. Stift Klosterneuburg

Links: Der Einzug Christi in Jerusalem aus dem Chorschlußfenster der Stiftskirche in Viktring, Kärnten, spätes 14. Jh.

Rechts: Hl. Katharina aus einem Glasfenster der Wallfahrtskirche in Strassengel, 2. Hälfte 14. Jh.

Seite 72: Chor der Franziskanerkirche in Salzburg, 1. Hälfte 15. Jh.

Seite 73: Madonna (Detail), Anfang 15. Jh., Salzburg, Franziskanerkloster

73

Links: Stephansdom in Wien, 2. Drittel 13. Jh. – Anfang 16. Jh.

Rechts: Anton Pilgram, Orgelfuß mit Selbstbildnis des Meisters, 1513. Wien, Stephansdom

Seite 76: Anton Pilgram, Kanzel, 1514–15. Wien, Stephansdom

Seite 77: Gitter des Sakramentshäuschens von Maria am Gestade, Wien, um 1500

Oben: Nikolaus Türing d. Ä., Moreskentänzer, 1500. Relief vom Goldenen Dachl in Innsbruck, Tiroler Landesmuseum Ferdinandeum

Links: Das Kornmesserhaus in Bruck an der Mur, 1499–1505

Links:
Michael Pacher,
Hochaltar
der Pfarrkirche
in St. Wolfgang,
1471–1481

Rechts:
Gesprenge vom
Altar der
Pfarrkirche in
Kefermarkt,
Passauer Meister (?),
1490–97

St. Christophorus vom Schrein des Kefermarkter Altares, Passauer Meister (?), 1490–97

Apostelgruppe aus dem Flügelaltar der Pfarrkirche in Mauer bei Melk, 1509/10

Meister des Schottenaltars, Die Flucht nach Ägypten, um 1470. Wien, Schottenstift

Geburt Christi, Tirol 1479.
Innsbruck,
Universitätsbibliothek

Ave maria
gracia plena
dominus

Rueland Frueauf d. J., Ausritt Leopolds III. 1505. Klosterneuburg, Stiftsgalerie

Links: Verkündigungsengel (Detail) aus dem ehemaligen Hochaltar der St. Leonhardskirche in Tamsweg, salzburgisch, um 1462

Wolf Huber, Beweinung Christi, Mittelbild des St. Annen-Altars, 1521. Feldkirch, Stadtpfarrkirche

Albrecht Altdorfer, Kreuzigung (Ausschnitt), um 1518. St. Florian, Stiftsgalerie

Jakob Seisenegger, Erzherzogin Eleonore als Kind, 1536. Innsbruck, Schloß Ambras

Rechts: Zimburgis von Masowien und Margaretha von Burgund vom Grabmal Kaiser Maximilians I., 1508–1585, Innsbruck, Hofkirche

Tiroler Erzherzogshut, Innsbruck, um 1600. Mariastein, Schloßmuseum
Rechts: Innenhof des Schlosses Ambras bei Innbruck, Wandmalereien von Heinrich Teufel, 1567–68

LEOPOLDVS III.
ALBERTVS II.

Seite 94/95: Spanischer Sa
im Schloß Ambras b. Inn
bruck, 1570–71

Seite 96: Arkadenhof de
Schlosses Porcia,
1533–1597,
Spittal a. d. Drau

Seite 97: Innenhof
im Schloß Schallaburg
bei Melk, 1573

Links: Österreichisch
Kaiserkrone,
Prag 1602.
Wien, Kunsthistorisches
Museum, Schatzkammer

Rechts: Moosgöttin vom
Leopoldsbrunnen
in Innsbruck.
Kaspar Gras, 1622–32

Oben: Meinrad Guggenbichler, Putten vom Korpus-Christi-Altar, 1682–1684. Mondsee, ehem. Stiftskirche

Links: Bartholomäus Steinle, Hochaltar der Stiftskirche Stams, 1609–13

Seite 102: Thomas Schwanthaler, Christus mit Engel, Detail der Mittelgruppe vom Rieder Ölberg, um 1680. Ried, Pfarrkirche

Seite 103: Meinrad Guggenbichler, Hl. Bernhard vom Heilig-Geist-Altar, 1679–81. Mondsee, ehem. Stiftskirche

MEA REDDAM IN

Links: Karlskirche in Wien, Johann Bernhard und Joseph Emanuel Fischer v. Erlach, 1716–39

Rechts: St. Florian, Stiftsportal, vollendet 1713, nach dem Entwurf von Jakob Prandtauer

Seite 106: Bibliothek im Stift Melk. Deckenfresko von Paul Troger, 1731–32

Seite 107: Stift Melk a. Donau, erbaut 1702–36 nach Plänen von Jakob Prandtauer

SIBYLLA
TROJANA

Links: Josef Thaddäus Stammel, Die Hölle, 1760. Admont, Stiftsbibliothek

Unten: Leonhard Sattler, Prunkbett im Prinz-Eugen-Zimmer, nach 1711. Stift St. Florian

Seite 110: Stift Dürnstein, Portal von Matthias Steinl, 1725, Turm von Matthias Steinl und Josef Munggenast, vollendet 1733

Seite 111: Paul Troger, Harmonie zwischen Religion und Wissenschaft (Ausschnitt),1735. Deckenfresko im Marmorsaal des Stiftes Seitenstetten

Links: Franz Anton Maulbertsch, Himmelfahrt Mariens, um 1754.
Salzburg, Residenzgalerie

Rechts: Dreifaltigkeitskirche in Stadl-Paura, Johann Michael Prunner, 1714–24

Seite 114: Oberes Belvedere in Wien, Sala terrena, Lucas von Hildebrandt, 1721–23

Seite 115: Oberes Belvedere in Wien, Südfront, Lucas von Hildebrandt, 1721–23

Seite 116: Georg Raphael Donner,
Traun. Randfigur
vom Providentia-Brunnen am Neuen Markt in Wien, 1739.
Wien, Österreichisches Barockmuseum

Seite 117: Balthasar Permoser, Apotheose des Prinzen Eugen (Detail), 1718–1721.
Wien, Österreichisches Barockmuseum

Link: Franz Xaver Messerschmidt, Ein wollüstig abgehärmter Geck, nach 1770.
Wien, Österreichisches Barockmuseum

Rechts: Schloß Schönbrunn, Wien, Vieux-laque-Zimmer, 1770

Links: Helblinghaus in Innsbruck. Spätgotisches Erkerhaus, um 1732 barockisiert

Rechts: Bürgerhaus in Rust mit barocker Fassade, 17. Jh.

Schüssel aus einem Jagdservice, Porzellanmanufaktur Wien, Du Paquier, 1730/40. Wien, Österreichisches Museum für angewandte Kunst

Gemüsehändlerin, Porzellanmanufaktur Wien, um 1760. Wien, Österreichisches Museum für angewandte Kunst

Fassadenmalerei auf einem Bauernhaus in Holzgau, Tirol, Ende 18. Jh.

Rechts: Zillertaler Bauernschrank, dat. 1824. Innsbruck, Tiroler Volkskunstmuseum

18 - M.
E. - 24

Joseph Anton Koch, Berner Oberland, 1817. Innsbruck, Tiroler Landesmuseum Ferdinandeum

Links: Arbeitszimmer im Geymüllerschlössel, Anfang 19. Jh. Wien, Pötzleinsdorf

Friedrich von Amerling, Mädchenbildnis, um 1830. Salzburg, Residenzgalerie

Rudolf von Alt, Innsbruck, Das Goldene Dachl, 1865. Wien, Albertina

Oben: Gustav Klimt, Venezianisches Quattrocento und Griechische Antike, 1891. Zwickelbilder im Stiegenhaus des Kunsthistorischen Museums, Wien

Rechts: Antonio Canova, Theseus, vor 1816. Wien, Kunsthistorisches Museum, Haupttreppe

Hans Makart, Bildnis der Clothilde Beer, um 1878. Salzburg, Residenzgalerie

Gustav Klimt, Bildnis Fritza Riedler, 1906. Wien, Österreichische Galerie des 19. und 20. Jh.

Links: Othmar Schimkowitz, Genien-Figur. Postsparkasse in Wien, 1904–6

Rechts: Otto Wagner, Kirche am Steinhof in Wien, 1904–7

DEM SCHÖPFER
DER ANSTALT
LEOPOLD STEINER
MITGLIED DES
N Ö LANDES
AUSSCHUSSES
1907

Egon Schiele, Frau mit zwei Kindern, 1917. Wien, Österreichische Galerie des 19. und 20. Jh.

Rechts: Clemens Holzmeister, Krematorium in Wien, 1921/22

Unten: Anton Faistauer, Blumen vor Grün, 1929. Salzburg, Residenzgalerie

Rechts: Oskar Kokoschka, Mädchen in Halbfigur vor Landschaft, 1913. Salzburg, Residenzgalerie

Links: Herbert Boeckl, Apokalyptische Visionen aus dem Freskenzyklus in der Engelkapelle der Stiftskirche Seckau, 1952–60

Unten: Karl Korab, Die Maschine, 1962/64. Wien, Niederösterreichisches Landesmuseum

Oben: Friedensreich Hundertwasser, Die Insel, 1955. Wien, Österreichische Galerie des 19. und 20. Jh.

Rechts: Fritz Wotruba, Kleine Liegende, 1951. Wien, Österreichische Galerie des 19. und 20. Jh.

Seite 144: Kirche in Wien-Mauer, nach einem Entwurf von Fritz Wotruba, fertiggestellt 1976

Zu den abgebildeten Werken

Erläuterungen und Literaturhinweise

25 *Sogenannte Venus von Willendorf,* Jungpaläolithikum, um 30.000 v. Chr., Oolithischer Kalkstein, ursprünglich mit Rötel dick eingerieben, Reste davon noch erhalten, Höhe 11 cm. Wien, Naturhistorisches Museum.

In Willendorf (Wachau, Gerichtsbezirk Stein/Donau) kamen ausgedehnte eiszeitliche Lößsiedlungen mit mehreren Kulturschichten des Aurignacien und Gravettien zu Tage. Die systematischen Grabungen begannen 1907 anläßlich der Bauarbeiten für die Trasse der Wachaubahn. 1908 wurde in Fundstelle II unterhalb von Schicht 9 eine nackte Frauenstatuette entdeckt. Laut C 14 Test, der auch mit dem archäologischen Befund übereinstimmt, gehört sie dem Jungpaläolithikum an. Parallelfunde – Figürchen ähnlicher voluminöser Statur mit betonten weiblichen Geschlechtsmerkmalen – häufig als Venusstatuetten bezeichnet – reichen von Frankreich über Süddeutschland, Italien, Tschechoslowakei (bes. Mähren) bis nach Südrußland und Sibirien.
Dargestellt ist eine dicke nackte Frau mittleren Alters. Ob sie auf ihrem leicht nach vorne gebeugten Kopf ein Häubchen oder eine kunstvolle Lockenfrisur trägt, ist nicht eindeutig erkennbar. Die dünnen, mit Zickzackarmreifen geschmückten Arme liegen über schweren Brüsten. Die Füße fehlen, die Beine enden mit den Unterschenkeln; vermutlich war die Figur im Löß eingesteckt. Mit Ausnahme des Gesichtes sind alle anatomischen Details deutlich wiedergegeben. Von ausgezeichneter Naturbeobachtung zeugen z. B. die Fettfalten an den Achselhöhlen und Gesäßteilen. Die absichtliche Vernachlässigung des Antlitzes sowie das Fehlen der Füße entsprechen dem Prinzip der jungpaläolithischen Venustatuetten, die sich als Muttergottheiten deuten lassen, denen der Schutz von Haus, Herd und Sippe anvertraut war. Das Figürchen stand sicher in kultischer Verwendung.

Literatur: Richard Pittioni, Urgeschichte des österreichischen Raumes, Wien 1954. – F. Felgenhauer, in: Mitteil. d. Prähist. Kommission d. Österr. Akademie d. Wissenschaften 8–9 (1956–59).

26 *Diadem aus Pitten* (Niederösterreich), Mittlere Bronzezeit, ca. 1600–1300 v. Chr. Bronze, getrieben, ziseliert, elliptisch, Achsenlänge 20,5 cm zu 19 cm. Museum für Urgeschichte des Landes Niederösterreich, Asparn a. d. Zaya.

Am Südwestrand von Pitten wurde 1967 anläßlich der Errichtung eines Industriebaues auf Parzelle 373 ein Gräberfeld der mittleren Bronzezeit angeschnitten, wobei der Bagger ein getriebenes und fein ziseliertes Bronzediadem zutageförderte. Bei der sofort einsetzenden Rettungsgrabung fand man ein fast intaktes Grab und zwölf mehr oder weniger zerstörte. Ein Großeinsatz im Jahre 1970 erwies sich als sehr erfolgreich. Es konnte ein Gräberfeld mit reichen Beigaben in den Ausmaßen von ca. 180 x 100 m freigelegt werden. Damals kam in einem großen Hügelgrab (Grab 26 a) noch ein zweites Bronzediadem ans Tageslicht, das dem ersten fast völlig gleicht. Die Schmuckstücke wurden vom Nacken aus auf den Kopf geschoben. Für nördliche Breitengrade sind diese Funde Unikate. Vergleichsstücke gibt es z. B. in Ledro in Norditalien (Trento). Von den Pittener Diademen unterscheiden sich diese vor allem dadurch, daß ihre Nackenstützen nicht vernietet, sondern offen sind.

Literatur: Franz Hampl – Herwig Friesinger, Vorbericht über die Ausgrabungen des Niederösterreichischen Landesmuseums in Pitten in den Jahren 1967 bis 1970, in: Archaeologia Austriaca, Heft 50, Wien 1971.

27 *Tongefäß aus Kronstorf* (Bez. Enns), Mittlere Bronzezeit, 1600–1200 v. Chr., Höhe 27 cm. Linz, Schloßmuseum des Oberösterreichischen Landesmuseums.

Das Gräberfeld von Kronstorf umfaßt mindestens 100 Grabhügel mit einem Durchmesser von 5–8 Metern und einer Höhe bis zu 1 Meter. Seine Entdeckung im Jahre 1926 ist F. Hörnisch, einem Gemeindearzt in Hargelsberg, zu verdanken. 1926/27 wurden einige dieser Gräber unter Leitung des Naturhistorischen Museums in Wien und des Oberösterreichischen Landesmuseums in Linz geöffnet. In Grab 3, einem Hügel mit mächtigem peripherem Steinkranz und sorgfältig aufgewölbtem Steinmantel, fand man neben dem Skelett in Hockerlage einen Armreif, eine Pinzette, Nägelchen, Fingerspiralen und drei Tongefäße, darunter einen Topf mit annähernd doppelkonischem Körper, trichterförmigem Hals und zwei Bandhenkeln. Der plastische Dekor besteht aus dreieckig profilierten Leisten. Eine läuft um die Schulter, von ihr hängen in gleichen Abständen acht senkrecht herab; die Zwischenräume sind durch girlandenartige, aufgelegte Rippen gefüllt. Das Gefäß von Kronstorf zeigt Beziehungen zu Süddeutschland, vor allem zur Albgruppe der Hügelgräberkultur in Württemberg.

Literatur: Kurt Willvonseder, Die Mittlere Bronzezeit in Österreich, Bd. 3, 4, Wien 1937. – Richard Pittioni, Urgeschichte des österreichischen Raumes, Wien 1954.

28 *Schöpfgefäß aus Hallstatt* (Oberösterreich), Hallstattzeit, 6. Jahrhundert v. Chr., Bronze, Höhe ohne Kuh 14 cm, Durchmesser 30 cm. Wien, Naturhistorisches Museum.

Zur Aufdeckung des Gräberfeldes von Hallstatt kam es, als man 1846 bei der Anlage einer Schottergrube ein menschliches Skelett fand. Die Gegenstände, die in dieser ausgedehnten Nekropole geborgen wurden, vor allem jene, die aus den Grabungen von 1846 bis 1863 stammen, gehören zu den wertvollsten Beständen des Naturhistorischen Museums in Wien. Sie gaben einer sich über mehrere Jahrhunderte erstreckenden Epoche, der älteren Eisenzeit Europas von Ostfrankreich bis zur Balkanhalbinsel den Namen Hallstattkultur. Ein Schöpfgefäß aus Grab 671, das neben feiner Randgravierung auch plastischen Dekor aufweist, zählt zu den schönsten Funden. Das halbkugelige Becken mit eingezogenem Rand ist aus Bronzeblech getrieben, der Griff vollgegossen und in Form einer Kuh, der ein Kälbchen nachläuft, gestaltet. Letzteres wurde lediglich kleiner, sonst aber wie ein erwachsenes Rind mit Hörnern dargestellt. Das Muttertier steht teils auf einer angenieteten Wandplatte, teils auf einer im Gefäßinneren befestigten hohen Stütze. Köpfe von Eisennägeln bilden die Augen. Die Stirn ziert eine dreieckige Einlage aus Bein. Der Bronzegießer bediente sich einfacher Ausdrucksmittel, doch was ihm an der Tiergattung wesentlich erschien, das hob er deutlich hervor. Damit scheint wohl auch die eigenwillige Darstellung des Kälbchens zusammenzuhängen. Derartige Gefäße, die nur wohlhabende Personen besaßen, dürften hauptsächlich bei rituellen Trinkgelagen verwendet worden sein.

Literatur: Karl Kromer, Das Gräberfeld von Hallstatt, Florenz 1959.

29 Kultwagen mit der Darstellung einer Opferszene aus Strettweg bei Judenburg (Steiermark), Hallstattzeit, 7. Jahrhundert v. Chr., Bronzeguß, Standplatte 35 x 18 cm, Höhe der Figuren 11,5–12 cm, Göttin 22,6 cm. Graz, Landesmuseum Joanneum.

Der Kultwagen stammt aus einem fürstlichen Grabhügel mit Wagenbestattung, der 1851 beim Ackern entdeckt wurde. Nachgrabungen im Jahr 1852 erbrachten weitere Funde: Gegenstände aus dem täglichen Leben, Tafelgerät, Prunkschüsseln, Waffen, Pferdegeschirr. Den keramischen Beigaben nach erfolgte die Bestattung um 600 v. Chr.; der Wagen, der Kultvorgänge en miniature zeigt, und zu den bedeutendsten Kunstdenkmälern des ostalpinen Hallstattbereiches gehört, ist jedoch älter, er dürfte sich schon längere Zeit im Familienbesitz befunden haben. Vergleiche mit verwandten Figurenwerken (z. B. Dreifuß von Lucera, faliskische Dreifüße von Vetulonia, Dreifuß von Präneste, Räucherwagen von Capodimonte, Bleiwagen von Frög in Kärnten, Bronzewagen von Toprakkale in Armenien, Wagen von Radkersburg) ergeben eine Datierung ins 7. Jahrhundert v. Chr.
Auf einer vierrädrigen Platte, die in Durchbrucharbeit ein elfspeichiges Rad (Sonnensymbol) zeigt, steht inmitten einer Kultgemeinde mit Opferhirschen und Reitern eine schlanke weibliche Gestalt. Sie ist durch ihre Größe sowie durch ihre Kopfbedeckung, einen flachen Polos, als Göttin gekennzeichnet. Auf den erhobenen Händen trägt sie eine Schale, die durch vier kreuzweis gestellte, gedrehte Stäbe gestützt wird. Den streng symmetrisch angeordneten Figuren nach dürfte der Wagen zum rituellen Fahren nach zwei Richtungen bestimmt gewesen sein. Im geistigen Hintergrund der Szene steht ein Fruchtbarkeitsmythus. Die Frau stellt die große Göttermutter dar, die für alles Werden und Gedeihen auf Erden verantwortlich ist. Mit ihrem Kult war häufig auch ein Hirschopfer verbunden. Der Brauch, das Idol der Göttin an ihrem Hauptfest auf einem Wagen herumzufahren und dann zu baden, läßt sich weit zurückverfolgen. Das Eintauchen ins Wasser kann als magische Handlung gedeutet werden, als eine Art Regenzauber, verbunden mit der Bitte um Fruchtbarkeit. Der Herstellungsort des Kultwagens ist schwer bestimmbar. Gewisse Anklänge an die italische Kleinplastik sind festzustellen, die ihrerseits wieder Einflüsse aus dem Osten, aus Griechenland und Etrurien zeigt; aber auch autochthone Züge lassen sich nicht übersehen. Figürchen im Typus der Göttin von Strettweg gibt es in großer Zahl in Picenum, gedrehte Stabstützen bei den Dreifüßen Mittelitaliens. Walter Schmid nimmt daher für die Anfertigung des Kultwagens eine mittelitalische Werkstätte in Anspruch. Dagegen lokalisieren Karl Kromer und Richard Pittioni die Arbeit in den engeren hallstättischen Kulturbereich, vor allem wegen der Reiter, da diese ihrer Meinung nach in der Ausrüstung mit spitzen Kappenhelmen und ovalen Schilden nichts spezifisch Italisches erkennen ließen.

Literatur: Walter Schmid: Der Kultwagen von Strettweg. Führer zur Urgeschichte, Bd. 12, Leipzig 1934. – Richard Pittioni, Urgeschichte des österreichischen Raumes, Wien 1954.

30/31 Situla aus Kuffarn (Niederösterreich), Hallstatt-Latène-Kultur, Ende 5. Jahrhundert v. Chr., Bronze, Höhe 25 cm. Wien, Naturhistorisches Museum.
31 Friesdetail: Trinkgelage

Mit dem Namen »Situla« bezeichnet man in Treibtechnik hergestellte, reich verzierte, eimerförmige Metallgefäße aus der Hallstattzeit. Ihr Verbreitungsgebiet umfaßt den gesamten Ostalpenraum. Fundplätze gibt es in Oberitalien, Österreich und Jugoslawien. Die Situlenkunst, eine vorübergehende Erscheinung, die mit dem Ausklingen der Hallstattkultur ihrem Ende zuging, hat sich im Veneto-Illyrischen Kreis entfaltet. Die meist aus Gräbern geborgenen Gefäße sind zwischen 600 und 400 v. Chr. angefertigt worden. Die einzelnen Werkstätten dürften untereinander engen Kontakt gehabt haben. Wichtige Anregungen kamen aus dem griechischen und etruskischen Bereich, doch wurden die Vorbilder nicht sklavisch nachgeahmt, sondern in die eigene Formsprache übersetzt.
Aus Situlen hat man bei Siegesfeiern den Umtrunk geschöpft. Ihre formale Gestaltung ist mehr oder weniger

einheitlich: umgekehrter Kegelstumpf mit aufgebogenem Hals, zwei Henkelgriffe für den Tragdraht. Figurenfriese, Menschen, Fabelwesen und Tiere in einfacher Reihung sind die häufigsten Verzierungselemente. Die dargestellten Szenen – festliche Aufmärsche, Wettkämpfe, Trinkgelage, Kriegs- und Jagdzüge – gewähren Einblick in das Leben der damaligen Zeit, spiegeln vor allem die Ideale der Adelsschicht wider.

Die Situla von Kuffarn, 1891 gefunden, steht am Ende der Entwicklung. Bestimmend für den späten zeitlichen Ansatz ist die Art der Verzierung. Nur ein Streifen zeigt die für die Situlenkunst charakteristische Szenenreihe. Im Fries mit stilisierten Blüten, der die Bildzone unten abschließt, macht sich bereits ein typisch keltisches Dekorationselement bemerkbar – die aus pflanzlichen Motiven entwickelte Fischblasenornamentik. Die Situla ist aus einem Stück Bronzeblech zusammengenietet, der Boden angefalzt. Den Mündungsrand hat man zwecks größerer Festigkeit nach außen um einen Bleiring geschlagen. Der Tragbügel wird von kreuzförmigen Attachen gehalten. Im Figurenfries sind vier sehr lebendig gestaltete Szenen aneinandergereiht: Trinkgelage, Faustkampf, Reitturnier und Wagenrennen. Bequem in einen Sessel zurückgelehnt, läßt sich ein vornehmer Zecher mit breitkrempigem Hut von seinem Mundschenk die Trinkschale füllen. Ein zweiter Bedienter eilt davon, um die bereits leer getrunkenen Gefäße, die er in den Händen schwingt, wieder zu füllen. Hinter dem Lehnstuhl steht ein kleiner Diener, daneben ein Gestell mit sechs Eimern. Dem anschließenden Faustkampf wohnen ein Zuschauer bei und zwei Schiedsrichter, die Doppelruten in den Händen halten. Die nackten Kämpfer dringen vehement mit Hanteln aufeinander ein; ihr Siegespreis ist ein mächtiger Helm. Beim nachfolgenden Wettreiten wird eben das Startsignal gegeben. Die Pferde galoppieren dahin, von den Reitern zu höchster Leistung angetrieben. Auch das Wagenrennen ist äußerst realistisch gehalten. Die Lenker stehen weit vorgebeugt in ihren Wagenkästen und feuern die Tiere mit langen Stökken an. Der vorderste blickt sich besorgt nach seinen Verfolgern um.

Die Figuren sind von innen herausgetrieben und abschließend an der Vorderseite mit Meißel und verschiedenen Punzen nachgearbeitet. Ein letzter Meister der hallstättischen Toreutik hat hier ein Kunstwerk von hohem Rang geschaffen. Dem Dekorationsstil nach könnte sich seine Werkstätte im Bereich nördlich der Alpen, im niederösterreichisch-burgenländischen Gebiet, befunden haben.

Literatur: O. H. Frey, Die Situla von Kuffarn. Veröffentlichungen aus dem Naturhistorischen Museum Wien, Neue Folge Nr. 4, 1962. – Jože Kastelic, Situlenkunst. Meisterschöpfungen prähistorischer Bronzearbeit, Wien–München 1964. – Krieger und Salzherren, Ausstellungskatalog, Wien 1971. – Lieselotte Zemmer-Plank, Situlenkunst in Tirol, in: Veröffentlichungen des Tiroler Landesmuseums Ferdinandeum, Band 56, Jg. 1976.

32 Halbmondfibel aus Hallstatt (Oberösterreich), Hallstattkultur, Anfang 6. Jahrhundert v. Chr., Bronze, Länge 16,6 cm. Wien, Naturhistorisches Museum.

Das Schmuckstück stammt aus Grab 900, einem der jüngeren Bestattungen in der Nekropole von Hallstatt. Nadel und Bügel, aus einem Stück gefertigt, sind mittels einer Federspirale elastisch miteinander verbunden. Vom flach ausgehämmerten Fibelbügel, der durch Würfelaugen und Linien in Tremolierstich verziert ist, hängen an doppelgliedrigen Kettchen dreieckige Klapperbleche herab. Im Bügelausschnitt sind zwei einander zugekehrte Tierprotome angebracht.

Literatur: Karl Kromer, Das Gräberfeld von Hallstatt, Florenz 1959.

33 Schnabelkanne vom Dürrnberg bei Hallein (Salzburg), Latènekultur, um 350 v. Chr., Bronze, Höhe 45,8 cm, Durchmesser 17,7 cm. Salzburg, Museum Carolino Augusteum.

Die 1932 am Dürrnberg in Grab 112 gefundene Schnabelkanne ist in ihrer Gesamtheit wohl das eigenwilligste Erzeugnis keltischer Toreutik. Der schlanke Gefäßkörper einschließlich Schulter und Hals besteht aus einem Stück getriebenen Bronzeblechs. Der Boden ist extra gearbeitet und über die etwas nach außen gebogene Wand aufgebördelt. Die Verbindungsstelle war vermutlich einst mit Baumharz abgedichtet. Der reich verzierte Griff und der Mundsaum mit seiner schnabelartigen Fortsetzung sind in Gußtechnik ausgeführt. Der Form nach gehört das Dürrnberger Exemplar zum Typus der Schulterkannen, die letztlich auf griechische Vorbilder zurückgehen. Ähnliche Prachtgefäße wurden in Bouzonville – Niederyeutz bei Metz geborgen. Das Besondere und Einmalige des Salzburger Fundes ist seine ornamentale und figurale Ausgestaltung. Für die Reliefverzierung an Schulter und Wand, die in neunfacher Wiederholung über einen Model getrieben wurde, gibt es bisher keine Parallelen. Echt keltisches Kunstempfinden zeigt dagegen der plastische Schmuck des Griffes, den eine Maske mit Wulstaugen stützt. Auf der Henkelleiste kriecht ein phantastisch gestaltetes, kurzgeschwänztes Tier empor, das in seinem weit vorgestreckten Maul einen Menschenkopf hält. Die beiden kleinen Fabelwesen am Kannenrand haben ähnliches Aussehen. Sie zeigen ebenfalls stark ornamental aufgelöste Details. Ihre rüsselartigen Fortsätze sind wohl als Schwänze eines Tieres zu deuten, das soeben von ihnen verschlungen wird. Da das Dekorationsprinzip mit starken Kontrasten arbeitet, ist die Kanne dem Ende der frühen Latènekultur zuzuweisen. Südliche Anregungen (italo-etruskische Tradition) und Formgedanken des skytischen Kreises haben bereits dem eigenen Kunstwollen Platz gemacht. Wahrscheinlich wurde die Kanne im Fundgebiet selbst erzeugt.

Literatur: Olivier Klose, Die Schnabelkanne vom Dürrnberg bei Hallein,

Salzburg, in: Wiener Prähistorische Zeitschrift, 21. Jg., 1934. – Richard Pittioni, Urgeschichte des österreichsichen Raumes, Wien 1954. – Fritz Moosleitner – Ludwig Pauli – Ernst Penninger, Der Dürrnberg bei Hallein II, Münchner Beiträge zur Vor- und Frühgeschichte, Bd. 17, München 1974. – Hans Jürgen Hundt, Die Bronzeschnabelkanne aus Grab 112 in: Münchner Beiträge zur Vor- und Frühgeschichte, Bd. 17, München 1974.

34 Votivstatue, genannt »Jüngling vom Helenenberg« (Magdalensberg), Kärnten, 1. Jahrhundert v. Chr., Kopie nach einem griechischen Vorbild aus dem späten 5. Jahrhundert v. Chr. Bronze, Höhe 1,82 m. Wien, Kunsthistorisches Museum.

Die lebensgroße Statue, die einzige vollständig erhaltene antike Großbronze in Österreich, stellt einen Athleten dar. Er hat die Rechte nach hellenischem Brauch zum Gebet erhoben, um der Gottheit für seinen Sieg zu danken. Aus einer Rille am Daumenballen kann geschlossen werden, daß er in der gesenkten Rechten einst einen Wurfspeer hielt. Laut einer Inschrift wurde die Figur von zwei römischen Kaufleuten aus Aquileia, den Freigelassenen Poblicius Antiochus und Tiberius Barbius Tiberinus, ihren norischen Geschäftsfreunden auf dem Magdalensberg gestiftet, und zwar um die Mitte des 1. Jahrhunderts v. Chr., also noch vor der Besetzung Noricums durch die Römer. Mit entsprechenden Attributen zum einheimischen Kriegsgott (Mars Latobius) umgedeutet, gelangte die Athletenstatue vermutlich im keltischen Tempel zur Aufstellung. In der Umgebung haben sich jedenfalls mehrere Reliefs aus römischer Zeit erhalten, die zweifellos den Jüngling als Vorbild erkennen lassen. Die Bronze wurde 1502 auf dem Magdalensberg beim Pflügen eines Ackers entdeckt. Laut alten Berichten lagen neben der Statue, die nahezu unversehrt erhalten war – es fehlten lediglich vier Finger an der linken Hand – eine Streitaxt und ein kleiner vergoldeter Schild mit Schriftzeichen. Der Fund machte großes Aufsehen, Kaiser Maximilian I. wurde unterrichtet, schließlich gelangte die Skulptur in den Besitz des Erzbischofs von Salzburg, der sie in der Feste Hohensalzburg aufstellen ließ. Ein Fresko des Salzburger Malers Hans Bocksberger d. Ä. (tätig Mitte 16. Jahrhundert) in der Landshuter Residenz, das den Jüngling getreu wiedergibt, läßt auf eine hohe Wertschätzung in damaliger Zeit schließen. Während des 30-jährigen Krieges hat man die Statue entfernt, später galt sie als verschollen. 1710 wurde die Bronze als Brunnenfigur, mit den Attributen des Gottes Merkur ausgestattet, im kleinen Pfarrgarten neben der Residenz wiederentdeckt. Nach Abnahme der Zutaten gelangte sie in der bischöflichen Gemäldegalerie zur Aufstellung. Die radikale Entfernung der alten Patina hat man vermutlich damals vorgenommen, wohl um die Statue der neuen repräsentativen Umgebung anzupassen. Dabei gingen viele Feinheiten der Ziselierung sowie die zarten Übergänge zwischen den einzelnen Formen verloren. Lippen, Augen und Brustwarzen waren ursprünglich aus anderem Metall eingesetzt. 1806 kam die Statue nach Wien. Viel und kontrovers diskutiert wurde die Frage nach ihrem möglichen Einfluß auf die deutsche Kunst, vor allem auf das Schaffen Albrecht Dürers. Zahlreich waren auch die Deutungen; unter anderem sah man im Jüngling ein Bildnis des Antinous. Ob die Bronze die Arbeit eines griechischen Bildhauers oder eine römische Nachbildung sei, blieb ebenfalls lange unentschieden. Der Großteil der Forscher sieht heute in ihr eine im 1. vorchristlichen Jahrhundert angefertigte Kopie nach dem Werk eines Polykletschülers aus dem späten 5. Jahrhundert v. Chr. Über den Grad der Abhängigkeit vom klassischen Vorbild gehen jedoch die Meinungen nach wie vor auseinander.

Literatur: Rudolf Noll, Kunst der Römerzeit in Österreich, Salzburg 1949. – Arnold Schober, Römerzeit in Österreich, Wien 1953. – Rudolf Noll, Neues zu altbekannten Kunstwerken der Wiener Antikensammlung, in: Anzeiger der phil. hist. Klasse d. Österreichischen Akademie d. Wissenschaften, 107. Jg., 1970. – Raimund Wünsche, Der Jüngling vom Magdalensberg, in: Festschrift Luitpold Dussler, Deutscher Kunstverlag, 1972.

35 Sogenanntes Heidentor in Petronell-Carnuntum, 3.–4. Jahrhundert n. Chr., erhaltene Höhe 12–14 m, im unteren Abschnitt moderne Ummantelung der Pfeiler mit Bruchsteinen.

Carnuntum, eine vorrömische Siedlung am Donauübergang der Bernsteinstraße, wurde vermutlich während des Markomannenkrieges von Tiberius als Stützpunkt für seine Donauarmee gewählt. Kaiser Claudius ließ das gleichnamige Lager ausbauen; daneben entwickelte sich die Zivilstadt, die durch Umsiedlung von Kelten entstanden war, zu einem bedeutenden Handelsplatz. In Carnuntum wurde 193 n. Chr. der Statthalter Oberpannoniens, Septimius Severus, zum Kaiser ausgerufen, und 308 n. Chr. der Kaiserkongreß unter Vorsitz Diocletians abgehalten. Der Verwendungszweck des sogenannten Heidentores, der einzigen in Österreich über Tag erhaltenen Ruine aus der Römerzeit, ist nicht mit Sicherheit geklärt. Ebenso gibt es über die Datierung geteilte Meinungen. Aufrecht stehen noch zwei gewaltige Pfeiler, ein weiteres Pfeilerpaar hat sich in Fundamentfragmenten erhalten. Der heute sichtbare Gußmauerkern war einst mit Kalksteinquadern verblendet. Aus den Überresten läßt sich die Anlage als zweigeschossiger, viertoriger Bau von quadratischem Grundriß rekonstruieren, dessen Pfeiler durch Kreuzgewölbe miteinander verbunden waren. Die einstige Höhe dürfte rund 22 m betragen haben. Drei durchlaufende Gesimse und Konsolen gliederten die Fronten. Im Zentrum des Vierungsquadrates fand sich eine Basis (Altar oder Sockel für ein Standbild), wodurch die Annahme, das Heidentor könnte ein Straßenbogen gewesen sein, auszuschließen ist.

Als Kultbau, Grab- oder Ehrenmal ließe sich demnach die Ruine deuten. Nach dem Stil der erhaltenen Architekturglieder und der Mauertechnik kann das Monument nicht vor dem 3. Jahrhundert n. Chr. errichtet worden sein. Vielleicht hat man hier ein bedeutendes Ereignis der Spätzeit verewigt: den Kaiserkongreß von 308 n. Chr.? Laut einer antiken Quelle ließ Kaiser Constantius II. (337–361 n. Chr.) auf den Trümmern römischer Provinzen in Gallien und Pannonien Triumphbögen errichten, worauf seine Siegertitel angebracht waren. Auch damit könnte man das Bauwerk in Verbindung bringen.

Literatur: Erich Swoboda, Carnuntum. Römische Forschungen in Niederösterreich, Bd. 1, Graz-Köln 1964. – Hedwig Gollob, Führer durch Karnuntum, Wien 1966.

36 Römische Gläser aus Carnuntum, Herkunftsland vermutlich Syrien. Balsamar, 3. Jahrhundert n. Chr., Höhe 10 cm. Geriffeltes Kugelfläschchen, 4. Jahrhundert n. Chr., Höhe 13,2 cm.

Das Balsamar aus grünlichem Glas zeigt einen gedrückten, unten abgeflachten Gefäßkörper mit hohem zylindrischem Hals und Horizontalrand. Das Fläschchen diente zur Aufbewahrung von ätherischen Ölen.
Bernsteinfarbene, durchscheinende Glasmasse wurde für das Kugelfläschchen verwendet. Der geriffelte Gefäßkörper ist gegen den hohen zylindrischen Hals mit Trichtermündung leicht abgesetzt.
Von entscheidender Bedeutung für die Entwicklung und Verbreitung des Glases war die, vermutlich in Syrien, knapp vor Christi Geburt erfundene Glasmacherpfeife, ein 100–150 cm langes Eisenrohr, mit dessen Hilfe man die zähflüssige Masse aus dem Schmelztiegel nehmen und aufblasen konnte. Aus der Kugel, dem naturgemäßen Ausgangspunkt der neuen Technik, entstanden alle anderen Formen. Durch ihre eigene Schwere läßt sich die an der Pfeife hängende Glasblase mittels Schwenkens oder Schwingens z. B. zur Keulenform ausziehen; Stauchen oder Hochstechen des Bodens ergeben eine einfache Standfläche. Die ersten Gläser hatten eine glatte Mundöffnung, in der Folgezeit wurde jedoch der Lippenrand trichterförmig erweitert.
Mit der Erfindung der Glasmacherpfeife erübrigte sich die bisher übliche, schwierige Sandkerntechnik, bei der Glasfäden um einen der Innenwandung entsprechenden Kern gewickelt und glattgewalzt wurden. Man konnte nun dünnwandige Gläser in beliebiger Menge erzeugen.
Die ersten geblasenen Gefäße gelangten um 20 n. Chr. nach Rom und erregten dort großes Aufsehen und Bewunderung. Die Glasmacherkunst verbreitete sich rasch, bald gab es Glashütten im gesamten Imperium. Es sind zwei verschiedene Herstellungsarten zu unterscheiden: die freie Gestaltung des Glases allein durch Blasen und das Blasen der zähflüssigen Masse in eine vorgefertigte Form. Reliefgläser waren die ersten Erzeugnisse, bei denen die Vorteile, die die geschmeidige Glasblase bot, voll ausgenützt und auf einfache Weise künstlerisch ausgewertet wurden. Man blies das Glas als klare, kristallähnliche oder farbige Masse in zwei- und dreiteilige Hohlformen mit vertieftem Reliefschmuck und konnte auf diese Weise in kurzer Zeit eine Menge reich verzierter Gefäße herstellen.

Literatur: Frederic Neuburg, Antikes Glas, Darmstadt 1962.

37 Römischer Reisewagen aus Virunum (bei Klagenfurt), 2. Jahrhundert n. Chr., Stein, 118x74 cm. Maria Saal, Pfarrkirche.

Das Relief, umrahmt von einer norischen Volute, gibt einen Reisewagen aus römischer Zeit wieder. Mit sicherem Blick führt der Künstler, wohl ein einheimischer, ein lebendiges Bild von einer norischen Landstraße vor Augen, auch wenn er bei der perspektivischen Wiedergabe einzelner Details nicht ganz zurechtgekommen ist. Zwei Pferde ziehen den mit einer Plane überdeckten Wagen. Im Inneren, durch das Seitenfenster sichtbar, sitzt ein Fahrgast. Der Kleidung nach dürfte es sich um eine Frau handeln. Der Kutscher trägt einheimische Tracht, den keltischen Kapuzenmantel, die cucullа. Das Relief, das wohl von einem größeren Grabbau aus Virunum stammt, und das man nach seiner Auffindung in die Südwand der Maria Saaler Pfarrkirche einmauerte, wurde vielfach gedeutet (u. a. Postwagen, Götterwagen); daß kein gewöhnlicher Reisewagen gemeint ist, geht aus dem Blumenschmuck hervor. Es könnte hier die festliche Einholung einer Braut mit ihrer Aussteuer dargestellt sein, aber auch die Fahrt des oder der Verstorbenen in die Unterwelt, wie oftmals auf etruskischen Aschenurnen. Der Kutscher mit dem Kapuzenmantel wäre dann der Genius cucullatus, der Schutzgeist für Reisende und Wanderer, der sowohl den Hochzeitswagen führt als auch dem Leichenwagen voranschreitet.

Literatur: Rudolf Noll, Kunst der Römerzeit in Österreich, Wien 1949. – Rudolf Egger: Der hilfreiche Kleine im Kapuzenmantel, in: Römische Antike und frühes Christentum, Bd. 2, Klagenfurt 1963.

38 Dionysos aus dem großen Dionysosmosaik von Virunum, römisch, letztes Viertel 3. Jahrhundert n. Chr., farbige Steintesserae. Klagenfurt, Landesmuseum für Kärnten.

Die Gründung von Virunum in der Ebene des Zollfeldes (Kärnten) geht auf Kaiser Claudius (41–54 n. Chr.) zurück. Sie erfolgte anläßlich der Aufgabe der alten norischen Hauptstadt auf dem Magdalensberg. Virunum war lange Zeit Sitz des Statthalters der römischen Provinz Noricum. Bis gegen 500 n. Chr. dürfte die Stadt bewohnt gewesen sein; dann verfiel sie und versank sozusagen unter der Erde. Einzelstücke aus Stein, die während des Mittelalters und auch später noch auf dem Areal ans Tageslicht kamen, wurden mit Vorliebe an kirchlichen und profanen Neubauten der Umgebung eingemauert (z. B. Maria Saal). Ende des 18. Jahrhunderts setzten die ersten Grabungen ein, mußten aber mehrmals unterbrochen werden. Freigelegt, jedoch bald wieder zugeschüttet hat man das Forum, einen Bäderbezirk, Wohnkomplexe und ein Theater. Die Funde, wie Mosaikböden, Skulpturen, Inschriften, Re-

liefs und Gegenstände des täglichen Gebrauchs, die für eine blühende Stadt zeugen, kamen ins Museum nach Klagenfurt.
Das Glanzstück ist ein im Bäderbezirk freigelegtes, fast 30 Quadratmeter großes Fußbodenmosaik. Eine breite Bordüre mit Peltenornament umgibt den Mittelteil, der durch ein kompliziertes System von Flechtbändern in einzelne Felder geteilt wird. Im Zentrum steht der Weingott Dionysos, in den umlaufenden Rhomben tanzt sein Gefolge, das sich aus Satyrn und Bacchantinnen zusammensetzt. Die Zwickel sind mit allerlei Singvögeln bevölkert. Überraschend für eine Provinzstadt wie Virunum ist die musivische Qualität. Die Steinchen der figürlichen Darstellungen sind zumeist nur 4 mm groß, das Normalmaß bei den ornamentalen Teilen beträgt 7–8 mm. Das Können des Mosaizisten zeigt sich vor allem in der plastischen Durchformung. Am vollkommensten wirkt die Figur des Dionysos, der mit einem Mantel über dem Rücken und einem Stab in seiner Linken im klassischen Standschema dargestellt ist. Die Datierung des Mosaiks basiert auf einer Münze des Kaisers Probus aus dem Jahr 276 n. Chr., die man im darunterliegenden Heizgewölbe eingemauert hat; sie bedeutet einen Terminus post quem. In dieselbe Zeit weist auch das geometrische Gerüst des Mittelstückes. Die Mosaizisten, die in Virunum beschäftigt waren, dürften von oberitalienischen Werkstätten zugewandert sein.

Literatur: Camillo Praschniker-Hedwig Kenner, Der Bäderbezirk von Virunum, Wien 1947. – Rudolf Noll, Kunst der Römerzeit in Österreich, Salzburg 1949. – Hedwig Kenner, Römische Mosaiken in Österreich, in: La Mosaique Gréco-Romaine, Paris 1965.

39 Iphigenie, römisches Fresko vom Magdalensberg (Kärnten), Ausschnitt, 20–15 v. Chr. Klagenfurt, Landesmuseum für Kärnten.

Die Siedlung auf dem Magdalensberg birgt trotz 23-jähriger Grabungstätigkeit noch manches Geheimnis. Vor allem konnte ihr antiker Name bisher nicht festgestellt werden. Der Ort muß bereits in vorrömischer Zeit ein wichtiges Handelszentrum für Eisen- und Stahlwaren gewesen sein. Hier hatte der keltische Stamm der Norici, der dem Königreich Noricum den Namen gab, seinen Sitz. Kaufleute aus dem Süden machten die einheimische Bevölkerung mit der klassischen Zivilisation bekannt und haben sich hier angesiedelt. Eine ausgedehnte Befestigungsanlage auf der Spitze des Berges dürfte der Zeit zwischen 50 und 15 v. Chr. angehören. Nach der römischen Okkupation unter Augustus hat man eine Reihe von Repräsentationsbauten errichtet, von denen wohl manche unvollendet blieben, denn wenige Jahre nach Regierungsantritt des Kaisers Claudius (41–54 n. Chr.) wurde die Bergstadt verlassen und eine moderner angelegte in der Ebene mit Namen Virunum bezogen.
In einem großen Saal, dessen Bestimmung noch nicht geklärt ist (Fest- oder Versammlungsraum?), wurden 1964 zahlreiche Freskenfragmente gefunden. Bedeutende Künstler des Südens müssen diese Wandmalereien ausgeführt haben. Sie können sich mit den besten Arbeiten in Rom und Pompeji messen. Ihrem Stil nach gehören sie der frühaugusteischen Zeit an, sind demnach in den letzten Jahren vor der römischen Besetzung entstanden, als Noricum noch ein freies Königreich war. Aus den erhaltenen Malereien läßt sich die Dekoration des Raumes (etwa 4 m hoch) ungefähr rekonstruieren. Über einer Sockelzone, die Marmorverkleidung imitierte, erhob sich vor grünen Pilastern eine schlanke Säulenarchitektur. Sie gab in der Mitte jeder Wand den Ausblick in eine weite Landschaft mit Figurenszenen frei; links und rechts schlossen sich rote Felder an: darauf isoliert stehende Heroinen aus griechischen Tragödien, die von Dionysos angeführt werden. Die Darstellung der Iphigenie gehört zu den besterhaltenen Fresken. Es ist hier die Szene aus dem Bühnenwerk des Euripides wiedergegeben, in der Iphigenie, als Priesterin zur Opferhandlung geschmückt, mit dem Idol der Göttin Artemis im Arm aus dem Tempel tritt und unter dem Vorwand, sie müsse das Kultbild in vollkommener Einsamkeit entsühnen, auf Rettung für sich und ihren Bruder Orest sowie dessen Freund Pylades sinnt. Das Antlitz, routiniert gemalt, spiegelt klassische Schönheit wider. Aus welcher Gegend des Südens der Künstler stammt, ist noch ungeklärt.

Literatur: Hedwig Kenner, Römische Fresken vom Magdalensberg, I und II, in: Antike Welt, 1970, Heft 3 und 1976, Heft 4.

40 Fibelpaar aus einem Fürstinnengrab in Untersiebenbrunn (Marchfeld), germanisch, Anfang 5. Jahrhundert n. Chr., Silber mit Goldblechüberzug, Almandine, grüne Glaspasten, Filigranzierat und Granulation. Länge 15,9 cm. Wien, Kunsthistorisches Museum.

Das Grab einer Fürstin, das 1910 in Untersiebenbrunn entdeckt wurde, stellt das hervorragendste und zugleich kostbarste Beispiel germanischer Kunst auf Österreichs Boden zur Zeit der Völkerwanderung dar. Neben Schmuck wie Fibeln, Ketten aus Golddrahtgeflecht, goldenen Hals- und Armreifen, Fingerringen, Ohrgehängen und Schuhschnallen mit Almandineinlagen fand man auch Pferdezaumzeug, Toilette- und Tischgerät, darunter römische Gläser. Die beiden Fibeln zeigen eine überquellende Schmuckfreudigkeit; der Dekor ist auf prunkvollen Gesamteffekt abgestimmt. Die ungefähr symmetrisch angeordneten, unregelmäßig geformten Steine und Glaspasten in Kästchenfassungen geben stark farbige Akzente; sie beherrschen den Gesamteindruck, der goldene Zierat ist ihnen untergeordnet.

Literatur: Rudolf Noll, Vom Altertum zum Mittelalter. Führer durch das Kunsthistorische Museum Kat. Nr. 8, Wien 1958.

41 Perlenketten aus dem bayrischen Gräberfeld Linz-Zizlau, 7. Jahrhundert n. Chr. Farbige Glasmasse, Bernstein; etwa natürliche Größe. Linz, Stadtmuseum.

Anläßlich der Errichtung der Reichswerke A.G. auf dem Gelände der heutigen VÖEST in Linz wurde 1941 ein bayrisches Gräberfeld angeschnitten. Infolge kriegsbedingter Eile bei der Errichtung der Industrieanlage konnte man damals (bis 1942) nur eine Fläche von etwa 70 x 35 m untersuchen, wobei 152 Gräber mit reichen Beigaben zutagekamen. Die ursprüngliche Ausdehnung der Nekropole läßt sich wohl kaum mehr erkunden. Bei Erdarbeiten wurden 1953 drei weitere Gräber freigelegt.
Die abgebildeten Ketten stammen aus Frauengräbern. In Grab 80 lagen laut Fundprotokoll 128 Perlen, in Grab 88, 163. Die moderne Auffädelung, nach ästhetischen Gesichtspunkten durchgeführt, ist nicht komplett.
Perlen aus verschiedenen Glaspasten mit buntem Dekor, wohl erstmals in Ägypten hergestellt, waren in der Antike eine begehrte Handelsware; sie halfen das Schmuckbedürfnis zu befriedigen und bezeugten Reichtum. Ihre Muster hatten aber auch magische Bedeutung. Bereits in der späten Bronzezeit kann man Glasperlen an allen Küsten des Mittelmeeres finden, ebenso im gesamten europäischen Raum. Alter und Erzeugungsland lassen sich aus der Zusammensetzung der Masse, Herstellungstechnik, Farbe, Form und dem Dekor bestimmen. Die im bayrischen Gräberfeld von Linz-Zizlau geborgenen Halsketten setzen sich aus Perlen verschiedenster Provenienz zusammen und bezeugen somit weltweite Fernverbindungen nach Süd, Ost und West. Die meisten Perlen sind merowingisch und zeigen alemannischen Einschlag, vor allem die orangefarbenen, schwefelgelben und siegellackroten. Die größte Perle in der Kette aus Grab 88 dürfte langobardischer Herkunft sein. Östlichen Einfluß verraten die Millefiori- und giftgrünen Perlen, die gegen Ende des 7. Jahrhunderts n. Chr. anzusetzen sind. Blaue tränenförmige, wie sie die Kette aus Grab 80 zeigt, gab es vor allem in Ungarn. Die runde, dunkelblaue, kobaltgefärbte Perle im gleichen Schmuckstück gehört vermutlich noch der prähistorischen Zeit an. Bei ihr dürfte es sich um Fundgut aus Gräbern und Siedlungen handeln.

Literatur: Hertha Ladenbauer-Orel, Linz-Zizlau. Das baierische Gräberfeld an der Traunmündung, Wien 1960.

42/43 Tassilokelch, salzburgisch, 769 n. Chr., vergoldetes Kupfer mit niellierten Silberplatten, Höhe 25,5 cm. Stift Kremsmünster, Oberösterreich.
43 Detail von der Cuppa: Evangelist Matthäus.

Laut Widmungsinschrift am Rand des Fußes (TASSILO DUX FORTIS + LIUTPIRC VIRGA REGALIS +) wurde der Kelch vom Bayernherzog Tassilo und dessen Gemahlin Liutpirc 769 gestiftet, wohl anläßlich ihrer Hochzeit. Fünf Silbermedaillons mit figuralen Darstellungen in Niello, die von reicher Tier- und Pflanzenornamentik umrahmt werden, zieren die Cuppa, vier gleichartige – etwas kleinere – den Fuß. Sie zeigen den segnenden Christus mit den vier Evangelisten, die Gottesmutter, Johannes d. T., den Soldatenheiligen Theodor sowie Theodolindis, eine bayrische Prinzessin und Langobardenkönigin. Der mit einem teppichartigen Ornament geschmückte Nodus wird oben von einem Perlring abgeschlossen. Es gibt keine Akzente, die eine Schauseite betonen, die Oberfläche ist vom Dekor sozusagen übersponnen.
Stilistische Ähnlichkeiten mit der irischen und angelsächsischen Miniaturmalerei des 8. Jahrhunderts n. Chr. sind nicht zu übersehen, sodaß man als Herstellungsort eine insulare Kunstprovinz auf festländischem Boden annehmen darf. Dies könnte Salzburg gewesen sein, wo Bischof Virgil, ein Ire, die Traditionen seiner Heimat weiterpflegte.

Literatur: P. Stollenmayer: Der Tassilokelch, 1949. – G. Haseloff: Der Tassilokelch, 1951.

44 Martinskirche in Linz, karolingisch, um 800.

St. Martin, der älteste christliche Sakralraum Österreichs, der heute noch kirchlichen Zwecken dient, wird 799 n. Chr. erstmals urkundlich erwähnt. Untersuchungen ergaben, daß die karolingische Kirche unter der Hülle eines gotischen und barocken Umbaues weitgehend erhalten blieb. Die anschließenden Restaurierungsarbeiten, die in den Jahren 1947/48 durchgeführt wurden, setzten sich zum Ziel, den vorromanischen Bau mit seinen Nischen, das Interessanteste an diesem Denkmal, herauszuschälen. Grabungen führten zur Entdeckung römischer Fundamentmauern unter der einschiffigen Saalkirche. Der karolingische Sakralbau dürfte aus einer spätrömischen oder agilolfingischen Bogenhalle hervorgegangen sein, indem man diese unter Mitverwendung antiken Steinmaterials durch eine Füllmauer schloß. Bei der Restaurierung wurden die Arkaden und die eingefügten Nischengruppen sichtbar gemacht, der karolingische Bau aber nicht als solcher rekonstruiert, sondern ein Neuraum geschaffen, der sich dem noch Erhaltenen, d. h. den beiden Längswänden, unterordnet und sie mit dem gotischen Chor harmonisch verbindet. Balkendecke und Fußboden sind neu, ebenso die Glasfenster.

Literatur: Franz Juraschek-Wilhelm Jenny, Die Martinskirche in Linz, Linz 1949.

45 Sakramentar aus St. Paul im Lavanttal, Elfenbeinplatte, Metz 9./10. Jahrhundert, 22,8 x 11,7 cm. Umrahmung um 1440, Buchgröße 27,8 x 20,6 cm. Stift St. Paul im Lavanttal.

Liturgische Bücher gehörten schon in ältester Zeit zur Altarausstattung. Ihrer hohen Würde entsprach die kostbare Ausschmückung, vor allem die der Einbände. Besonders deren Vorderseiten wurden reich mit kostbaren Goldschmiedearbeiten geziert, in die oft figürliche Elfenbeinre-

liefs eingelassen sind. Die Bücher sollten auch im geschlossenen Zustand durch bildliche Darstellung die Bedeutung des Meßopfers kundtun. Das Sakramentar (Meßbuch) enthält die Gebete, die der Priester bei liturgischen Feiern zu sprechen hat.
Das Elfenbeinrelief aus St. Paul, umrahmt von Akanthusblättern, stellt die Himmelfahrt Christi und die Majestas Domini dar. Die Komposition baut sich in drei Zonen auf. Oben thront zwischen Sonne und Mond in einer von zwei bärtigen Engeln gehaltenen Mandorla Christus als Weltenrichter. Unten drängen sich die Apostel – in ihrer Mitte Maria –, die erregt gestikulierend zum emporschwebenden Gottessohn aufblicken, der im Mittelteil von Gottvater, symbolisiert durch die Hand in den Wolken, und von zwei demutsvoll gebeugten Engeln empfangen wird. Die Szene zeigt Beziehung zur gleichzeitigen Buchmalerei und zu einem Himmelfahrtsrelief in Coburg. Die Umrahmung der Tafel aus Metallplättchen mit gravierter Rankenzier und mit Evangelistenreliefs in den Ecken, stammt aus späterer Zeit.

Literatur: K. Ginhart: Das Stift St. Paul im Lavanttal (Führer), St. Paul i. L. 1965. – Österreichische Kunsttopographie, Die Kunstdenkmäler des Bendiktinerstiftes St. Paul i. L. und seiner Filialkirchen, Wien 1969. – Rupert Feuchtmüller, Kunst in Österreich Bd. 1, Wien 1972.

46 Evangelist Lukas aus dem Cutbercht-Evangeliar, salzburgisch, 8. Jahrhundert, Miniatur auf Pergament. Seitengröße 31,5 x 24,2 cm. Wien, Nationalbibliothek.

Auf Veranlassung Pipins kam 745 der Ire Virgil als Bischof und Abt des vom hl. Rupert gegründeten Klosters St. Peter nach Salzburg. Durch ihre geographische Lage, ihre Beziehungen zu den Agilolfingern und dem lombardischen Königshaus war die Stadt mannigfaltigen Einflüssen von außen ausgesetzt. Hier trafen die verschiedensten Richtungen aufeinander: irrationales nordisches Flechtwerk brachten die irischen Benediktinermönche aus ihrer Heimat mit; die Nähe Venedigs und Ravennas sicherten jedoch auf künstlerischem Gebiet die Vorherrschaft der mediterranen Formen.
Eindrucksvollstes Beispiel des Ineinanderfließens mehrerer Strömungen ist das Cutbercht-Evangeliar, das Bischof Virgil in Auftrag gab und von einem Schreiber namens Cutbercht ausgeführt wurde. Es ist das einzige existierende Manuskript in insularer Schrift auf Salzburgs Boden. Irischer Einfluß macht sich vor allem in den Bildumrahmungen bemerkbar. Die vier Evangelistenbilder sind nach byzantinischen Vorlagen geschaffen, doch dürften diese dem Miniator über das Lindisfarn-Evangeliar vermittelt worden sein. Gegenüber den irischen Schöpfungen zeigen sie mehr Körperlichkeit und eine von Italien beeinflußte, naturnähere Wiedergabe. Der Illustrator gehörte wohl einer schon länger im Alpengebiet ansässigen angelsächsischen Künstlergruppe an, die sich mit den einheimischen Tendenzen auseinandergesetzt und manches davon aufgenommen hatte.

Literatur: Rupert Feuchtmüller, Kunst in Österreich, Bd. 1, Wien 1972.

47 Innicher Evangeliar, Evangelist Johannes, süddeutsch (Innichen?), Anfang 10. Jahrhundert. Deckfarbenmalerei auf Pergament, ca. 22 x 18 cm. Innsbruck, Universitätsbibliothek.

Der Kodex, der zu den ältesten illuminierten Handschriften im östlichen Kunstraum gehört, befand sich bis 1785 im Besitz des Kollegiatstiftes Innichen im Pustertal (gegründet 769 n. Chr., seit 816 dem Bistum Freising unterstellt). Nach dessen Aufhebung wurde er der Universitätsbibliothek Innsbruck übergeben. Das Buch diente zur Gestaltung des Gottesdienstes, es enthält den ungekürzten Text der vier Evangelien mit Anmerkung der bei der Meßfeier zu lesenden Abschnitte (Perikopen). Künstlerische Ausgestaltung zeigen die Kanontafeln und die fünf Initialen bzw. Initialligaturen. Auf drei ganzseitigen Miniaturen sind die Evangelisten Johannes, Lukas und Matthäus dargestellt. Das Bild des Markus war nie vorhanden, dürfte aber geplant gewesen sein. An der Ausschmückung des Buches haben sicher mehrere Meister mitgewirkt. Ornamentik und figürliche Darstellungen stehen qualtitätsmäßig auf einer höheren Ebene als die Schreibkunst.
Johannes hält ein aufgeschlagenes Buch in der Hand und wendet sich lebhaft gestikulierend seinem Symbol, dem Adler, zu, der in den Fängen eine Schriftrolle hält. Gewisse Archaismen im Stil des Miniators lassen auf Benützung älterer Vorbilder schließen. Anregungen dürfte sich der Meister vor allem aus der karolingischen Buchmalerei geholt haben. Alte Formen füllt er mit neuem Inhalt. Ins Auge fallen Beziehungen zu alemannischen und bayrischen Handschriften. Über Lokalisierung und Datierung des Kodex gibt es verschiedene Ansichten (St. Gallen, Freising, Innichen; 8., 9., 10. Jahrhundert). Der Schriftcharakter stimmt nach neuesten Forschungen weitgehend mit dem des beginnenden 10. Jahrhunderts überein. Hinweise, den Entstehungsort und Auftraggeber betreffend, könnten unter Umständen die im Perikopenverzeichnis angeführten Heiligenfeste geben. Nach diesen wäre der Kodex möglicherweise für einen im Kirchengebiet von Innichen gelegenen Ort geschrieben worden, vielleicht im Stift selbst, von dem wohl anzunehmen ist, daß es eine eigene Schreibschule besaß. Allerdings zeigen die diversen Lokalisierungsvorschläge auch, daß in der kunstgeschichtlichen Bestimmung des Evangeliars noch nicht das letzte Wort gesprochen ist.

Literatur: Sr. Gertrud Laußermayer – Walter Neuhauser, Das Innicher Evangeliar des 10. Jahrhunderts (Cod. 484 der Universitätsbibliothek Innsbruck), in: Tiroler Heimat Bd. 38, 1975.

48 Admonter Riesenbibel, Szenen aus der Geschichte von Samuels Mutter Hanna, salzburgisch, Mitte 12. Jahrhundert. Deckfarbenmalerei auf Pergament. Blattgröße 56 x 42 cm. Wien, Nationalbibliothek.

Die Handschrift gehört zu den sogenannten Riesenbibeln, die erstmals im 11. Jahrhundert in Gebrauch kamen. Über Entstehungszeit und -ort gibt es keinerlei Nachrichten. 1263 taucht der Kodex im ungarischen Kloster St. Peter zu Czatár auf, wird jedoch im selben Jahr an einen Juden verpfändet. Wann die Bibel nach Admont kam, läßt sich nicht mehr feststellen. Nachzuweisen ist sie dort erst seit Anfang des 15. Jahrhunderts. Die ursprünglich einbändige Handschrift mit 300 Pergamentblättern wurde im 13. Jahrhundert in zwei Teile zerlegt. Heute sind diese in barocke Weißlederbände vom Jahre 1737 gebunden. 30 Miniaturen illustrieren den Text des Alten und Neuen Testaments, viele davon nehmen den ganzen Blattspiegel ein, sind aber durch verzierte Rahmenleisten in zwei Felder geteilt. Während die ornamentierten Initialbuchstaben gleichzeitig mit der Schrift ausgeführt wurden, hat man die Bilder erst nachträglich in die dafür freigelassenen Stellen eingefügt. Die Figuren agieren meist vor goldenem Grund, der aber nicht wie üblich eine Blattvergoldung zeigt, sondern mit Metallstaub auf grüner Untermalung aufgetragen ist. Die Miniaturen des Admonter Kodex sind der Salzburger Buchmalerei verpflichtet, die heimische Überlieferung, byzantinische Formelemente und westliche Bildvorlagen zu einer neuen Synthese verbindet. Neben ruhig gemessenen Darstellungen mit vollen, breiten Gestalten gibt es dramatisch bewegte, in denen die handelnden Personen sich lebhaft gebärden. Daß an der Ausschmückung der Handschrift mehrere Werkstätten unterschiedlicher Qualität beteiligt waren, wurde vielfach dargelegt (Swarzenski, Swoboda, Buberl u. a.), jedoch mit gegensätzlichen Ergebnissen.
Die Geschichte von Samuels Mutter Hanna aus dem ersten Buch der Könige wird allgemein dem Hauptmeister zugeschrieben. Das obere Feld zeigt links die wegen ihrer Unfruchtbarkeit trauernde Frau, rechts deren Gelübde vor Gott, dazwischen die glücklichere Rivalin Penina. Stilistisch stehen diese etwas gedrungenen, wenig bewegten Figuren den Wandmalereien in Pürgg nahe. In der unteren Bildhälfte ist die Begegnung Hannas mit dem Hohen Priester Heli dargestellt, der ihr Beten um einen Sohn mißversteht und sie der Trunkenheit bezichtigt. Hier bricht der Meister mit der ruhigen Formgebung und trachtet nach Kontrastwirkung. Dies wird besonders deutlich in der rechten Szene, in der sich Hanna und der Hohe Priester gegenüberstehen; die Frau voll Dynamik, die Augen weit aufgerissen, die Hände gestikulierend vorgestreckt, der Mann ruhig und gemessen.

Literatur: G. Swarzenski, Die Salzburger Buchmalerei, Leipzig 1913. – Kurt Holter, Das Antiphonar von St. Peter-Salzburg und die Admonter Riesenbibel, in: Die graphischen Künste N. F. II, 1937. – Karl Swoboda, Die Bilder der Admonter Bibel des 12. Jahrhunderts, in: Kunst und Geschichte, Wien 1969.

49 Lambach, Wandmalereien im ehemaligen Westchor der Stiftskirche, Nordtravée. Östlicher Pfeiler: Prophet; Westwand: der 12-jährige Jesus im Tempel, Christus heilt den Besessenen in der Synagoge von Kapharnaum; Nordwand: Zeugnis Johannes d. T. für Christus, Heilung der Schwiegermutter Petri (?). Letztes Drittel 11. Jahrhundert, Fresko mit Seccoauflage.

Die Gründung des Stiftes Lambach geht auf Bischof Adalbero von Würzburg aus dem Haus der Grafen Lambach-Wels zurück. 1056 wandelte er die von seinen Eltern in ihrer Stammburg errichtete Niederlassung für weltliche Kanoniker in eine Benediktinerabtei um. 1089 fand die Weihung des Hauptaltares statt. Baulichen Untersuchungen nach muß die romanische Kirche eine doppelchörige Anlage gewesen sein. Der erhöhte Westchor öffnete sich mit drei rundbogigen Arkaden zum Schiff. 1233, beim Feldzug des Bayernherzogs Otto II. gegen den Babenberger Friedrich II., wurde das Kloster weitgehend zerstört, aber bald wieder instandgesetzt. Um 1430 ließ Abt Johann III. die Kirche gotisch umgestalten. Im 17. Jahrhundert mußte der mittelalterliche Komplex einer barocken Anlage weichen. Der romanische Westchor blieb unter den Verstärkungsmauern des »Läuthauses«, die man 1639 wegen Erhöhung der Türme eingezogen hatte, erhalten. Seine Gewölbemalereien wurden 1868 entdeckt, die Wandfresken erst 1956. Sie sind zur Zeit die ältesten Österreichs und zählen zu den bedeutendsten Schöpfungen des Abendlandes. Allerdings stellen sie nur einen Teil der ehemaligen Gesamtausstattung der Stiftskirche dar; die Malereien haben sich wohl im Schiff und Ostchor fortgesetzt.

Die Themen des Westchors sind der Jugendgeschichte Christi entnommen. Der Zyklus, allerdings nicht mehr vollständig erhalten, beginnt im Gewölbe der Südtravée (die drei Weisen vor Herodes und den Schriftgelehrten) und setzt sich über die Mittelkuppel (Zug, Huldigung und Traum der drei Weisen) zum Nordgewölbe (Heimritt der drei Weisen, Beschneidung Christi) fort. Die Wände, jeweils in zwei Felder unterteilt, zeigen keine kontinuierliche Bildfolge; hier sind die Szenen nach liturgischen Gesichtspunkten und Sinneinheiten gegliedert. (Südtravée: Erschrecken des Herodes über den neugeborenen König, Christus mit den Engeln; Nordtravée: Zeugnis Johannes d. T. für Christus, der 12-jährige Jesus im Tempel, Christus heilt den Besessenen in der Synagoge von Kapharnaum, Heilung der Schwiegermutter Petri (?). Symmetrische Architekturkulissen bilden den Hintergrund und die Umrahmung der einzelnen Szenen. Die Ornamentik läßt sich aus der antiken Tradition ableiten. Eine sehr einheitlich arbeitende, wohl in Salzburg beheimatete Werkstätte hat die Lambacher Fresken ausgeführt. Neben Anklängen an die spätottonische Buchmalerei Salzburgs sind auch Parallelen zur Kunst Oberitaliens zu finden. Der Hauptmeister dürfte in einem der Zentren byzantinischer Kolonialkunst, in Aquileia oder Venedig geschult worden sein. Ein wichtiger Anhaltspunkt zur Datierung der Fresken ist neben der Stilanalyse die Weihung des Hauptaltares im Jahr 1089. Er stand im Westchor. Allerdings kann der Gemäldezyklus ohne weiters schon etwas vorher vollendet worden sein.

Literatur: Norbert Wibiral, Die Fresken im ehemaligen Westchor der Stiftskirche von Lambach, in: Romanische Kunst in Österreich, Ausstellungskatalog, Krems 1964. – Otto Demus, Romanische Wandmalerei, München 1968. – Rupert Feuchtmüller, Kunst in Österreich, Bd. 1, Wien 1972.

50/51 Johanneskapelle auf der Pürgg (Steiermark), Fresken von der Südwand: Geburt Christi, Katzen-Mäuse-Krieg. 2. Drittel 12. Jahrhundert, Fresko mit Seccoauflagen.

Über Bau und Ausmalung der Johanneskirche gibt es keinerlei Nachrichten. Sie wird erstmals 1350 genannt. An der Triumphbogenwand sind ein geistlicher und ein weltlicher Stifter dargestellt, doch ohne Inschriften. Ihre Identifizierung mit dem Admonter Abt Gottfried I. (1138–1165), dem die Pfarre Pürgg unterstand, und Ottokar III. aus dem Geschlecht der Traungauer, der dem Kloster 1160 Landbesitz bei Pürgg vermachte, beruht auf der stilkritischen Untersuchung und Datierung der Malereien sowie auf dem Versuch, das Programm des Zyklus mit den Schriften des Abtes zu verknüpfen. Sämtliche Wände des kleinen, flachgedeckten, einschiffigen Raumes (8,30 x 4,45 m), an den sich im Osten ein quadratischer, gewölbter Chor anschließt, hatten einst Freskenschmuck. Als man im 17. Jahrhundert das Langhaus einwölbte, wurden die Malereien übertüncht. Zur Wiederentdeckung kam es 1870, ihr folgte eine dilettantische Freilegung. 1893/94 hat man den Gemäldezyklus schließlich im Sinne einer stilreinen Renovierung vollkommen übermalt. Mit der zwischen 1939 und 1948 durchgeführten »Entrestaurierung« wurde eine Gesamtausstattung der reifen Romanik von hohem künstlerischem Rang wiedergewonnen. Die Bildszenen an den Langhauswänden sollen den Gläubigen zum Altar hinführen, in dem auf die Gegenwart des Allerhöchsten hingewiesen wird. Sie sind in zwei Zonen über einem Sockel mit gemalten Vorhängen angeordnet. Im Gewölbe des Chorraumes hat der Künstler das Lamm Gottes, umgeben von den Evangelistensymbolen und den vier Weltteilen, an den Presbyteriumswänden Tugenden und Heilige dargestellt. Der Triumphbogen zeigt ebenfalls reiche Bildausstattung: über der Archivolte mit Rankenschmuck der segnende Christus, vor ihm Kain und Abel, darunter die Stifter, in der Laibung Engel. Im oberen Streifen der beiden Längswände sind jeweils, einander gegenüber, die klugen und törichten Jungfrauen dargestellt, in den unteren Zonen Szenen aus dem Leben Jesu (Verkündigung Mariens, Geburt Christi, Hirtenverkündigung, Speisung der 5000 in zwei Phasen), daran anschließend auf der Südseite der Katzen-Mäuse-Krieg, gegenüber auf der Nordseite eine Teufelsfigur. Die beiden letzten Bilder gehören zum Weltgerichtsfresko an der Westwand, von dem sich allerdings nur geringe Spuren erhalten haben. Die Darstellung des Katzen-Mäuse-Krieges symbolisiert den Kampf der Menschen gegen das Böse, einem alten Sinnspruch folgend, der besagt, daß der Teufel hinter den Seelen her sei wie die Katze hinter der Maus. Eine mit Zinnen und Türmen befestigte Burg wird von armbrustschießenden Mäusen gegen heranstürmende Katzen, die ebenso bewaffnet und durch Schilde auf dem Rücken geschützt sind, verteidigt. Dieses volkstümliche Gleichnis sollte wohl den Eintretenden auf das Weltgericht hinweisen. Stilistisch ist der Freskenzyklus eng mit der Salzburger Miniaturmalerei aus der Mitte des 12. Jahrhunderts verbunden, die ihrerseits italo-byzantinische Werke als Vorlagen benützt. Überraschende Parallelen lassen sich zur Admonter Riesenbibel feststellen. Der Meister von Pürgg modelliert seine breiten, schweren Gestalten weich und malerisch. In der Geburt Christi liegt Maria auf einem Lager, das den Konturen ihres Körpers folgt, eine typisch byzantinische Darstellungsweise. Daneben findet man aber auch schon manches der Natur abgelauschte Detail, wie z. B. den schlafenden Widder neben der Gottesmutter. Der Hauptmeister der vielleicht in Admont beheimateten Werkstätte hat es verstanden, trotz äußerer Einflüsse seinen eigenen Charakter zu bewahren.

Literatur: Otto Demus, Romanische Wandmalerei, München 1968. – E. Weiss, Der Freskenzyklus der Johanneskirche in Pürgg, in: Wiener Jahrbuch für Kunstgeschichte, 21, Wien 1968. – Rupert Feuchtmüller, Kunst in Österreich, Bd. 1, Wien 1972.

52 Mittelteil vom Emailwerk des Nikolaus von Verdun (sogen. Verduner Altar), 1181. Vergoldetes Kupfer mit Gruben- und Zellenschmelz, Mittelteil 263 x 108,5 cm, Seitenflügel 120,5 x 108,5 cm. Stift Klosterneuburg, Leopoldskapelle.

53 Detail: Kreuzigung

Das Emailwerk, das als »Verduner Altar« bekannt geworden ist, wurde 1181 im Auftrag Propst Wernhers von Klosterneuburg von Nicolaus Virdunensis geschaffen, und zwar als Verkleidung eines Ambo (Kanzel) am Lettner der romanischen Stiftskirche. Der Meister, vor 1150 geboren, ein wandernder Goldschmied, hat die Arbeiten vermutlich an Ort und Stelle durchgeführt. In drei waagrechten Zonen sind Szenen des Alten Testaments, die auf Christus hinweisen, dem Neuen Testament gegenübergestellt, wobei je drei übereinanderliegende Bilder inhaltlich zusammengehören. Die obere Reihe bringt Geschehnisse aus der Zeit vor Moses »ante legem«, die untere zeigt Ereignisse aus der Zeit des Alten Bundes »sub lege«. Sie stehen in Beziehung zum Heilsgeschehen »sub gratia«, das im Mittelstreifen dargestellt wird. Die einzelnen Bilder, von reich ornamentierten Dreipaßrahmen umgeben, sind mit einer lateinischen Umschrift versehen, die zugleich interpretierenden Charakter hat. Engel, Propheten und christliche

Tugenden bevölkern die Zwischenfüllungen.
Nikolaus von Verdun hat verschiedene Lokalstile in sich aufgenommen und verarbeitet. In seinen Schöpfungen machen sich vor allem Einflüsse aus zwei bedeutenden Zentren der Emailkunst bemerkbar: Köln und das Maasgebiet. Intensives Erfassen der Körperlichkeit und Sicherheit in den Bewegungen lassen auf das Studium von Werken schließen, die antikes Formgut vermitteln, z.B. byzantinische, karolingische und ottonische Erzeugnisse. Die Farbskala des Meisters ist überaus reich, oft verwendet er gesprenkeltes Email, sogenannten Granitschmelz. Als 1330 das Stift einem Brand zum Opfer fiel, konnten die Ambotafeln nur durch Übergießen mit Wein vor den Flammen gerettet werden. Propst Stephan von Sierndorf, der 1331 den Wiederaufbau des Klosters durchführte, ließ sie restaurieren und in einer Wiener Goldschmiedewerkstätte zu einem Triptychon umgestalten, wobei die Seitenteile der ehemaligen Kanzelverkleidung für die Altarflügel verwendet wurden. Da das Mittelstück etwas kleiner war, hat man, um den Altar schließen zu können, links und rechts der mittleren Vertikalreihe je drei neue Platten eingefügt. Der Meister von 1331 schloß sich eng an den Stil des Nikolaus von Verdun an, wobei er sogar die Kleidung treulich kopierte, konnte aber die Gotik seiner Zeit nicht restlos verleugnen. Die Figuren des Wiener Goldschmiedes sind plastisch weniger stark durchgearbeitet, die Bewegungen nicht so ausgeglichen wie bei den Gestalten von Nikolaus. Er ist der gleichzeitigen niederösterreichischen Buchmalerei verpflichtet. Die Rückseite der neu zusammengefügten Tafeln wurde mit vier großen Temperabildern verkleidet. Der Kreuzestod Christi, durch größeres Format herausgehoben, bildet den Mittelpunkt des Altares. Auf ihn ist das gesamte Geschehen hingeordnet. Die Darstellung folgt überlieferten Mustern: links Maria, rechts der trauernde Johannes. Sonne und Mond symbolisieren das Neue und das Alte Testament. Die Raute im Hintergrund ist ein Meisterwerk der Schmelzkunst. Vorbilder hierfür sind in den Emailarbeiten aus Limoges und dem Maasgebiet zu finden. In den Zwickeln weisen die Propheten Daniel und Isaias Schriftbänder vor. Der Kreuzigung ist in der Typologie die Opferung Isaaks (Vorbild des Meßopfers) und die Erzählung von den beiden Kundschaftern, die aus dem gelobten Land eine riesige Weintraube (eucharistisches Symbol Christi) bringen, gegenübergestellt.

Literatur: Floridus Röhrig, Der Verduner Altar, Wien 1955.

54 *Kruzifix aus Ludesch*, um 1160. Fichtenholz, Höhe 1,93 m, Spannweite der Arme 1,69 m. Reste alter Fassung, rechter Arm und linkes Auge ergänzt. Bregenz, Voralberger Landesmuseum.

Das Kreuz stammt aus der alten Pfarrkirche St. Martin, die etwas abseits der Ortschaft Ludesch am Berghang steht. Überlebensgroße Kruzifixe hatten im romanischen Gotteshaus einen bestimmten Platz und auch eine bestimmte Funktion. Meist hingen sie an der Triumphbogenwand, die das Schiff vom Altarraum trennt; mitunter standen Maria und Johannes als Begleitfiguren zur Seite. Die Leiden des Herrn sollten durch sie dem betrachtenden Beter sowie der gläubigen Gemeinde vor Augen geführt werden.
Der in der frühen Romanik aufrecht gehaltene Kopf begann im Verlauf des 12. Jahrhunderts sich seitlich oder nach vorne zu neigen, der Gesichtsausdruck nahm schmerzvolle Züge an, die Krone ersetzte man durch einen Dornenkranz; aus dem triumphierenden Christus wurde allmählich ein leidender.
Der schlanke Körper des Gekreuzigten aus der St. Martinskirche ist streng frontal ausgerichtet, nur die Knie sind etwas vorgeschoben und zur Seite geneigt, die Arme waagrecht ausgebreitet mit einem leichten Knick nach oben. Die durchbohrten Füße stehen auf einem stark verwitterten Adamskopf. Das gekrönte Haupt, mit offen stehenden Augen, neigt sich leicht nach rechts und zeigt einen milden, barmherzigen Ausdruck; in gedrehten Strähnen fallen die Haare auf die Brust. Das geknotete Lendentuch reicht bis zu den Knien und legt sich in V-förmigen Falten um den Leib. Der flachen, noch nicht naturgetreuen, aber auch nicht mehr schematischen Körperbehandlung, der leichten Neigung des Hauptes und den milden Zügen nach, ist die Einordnung des Kruzifixes in die Zeit um 1160 am wahrscheinlichsten. Stilkritische Vergleiche mit verwandten Kreuzen im süddeutschen Raum ergeben ebenfalls diese Datierung.

Literatur: E. Heinzle, Die bildende Kunst, in: Heimatkunde von Vorarlberg, Bregenz 1949. – Romanische Kunst in Österreich, Ausstellungskatalog, Kat. Nr. 83, Krems 1964. – Kolumban Spahr, Die vorromanische und romanische Kunst, in: Landes- und Volkskunde, Geschichte, Wirtschaft und Kunst Vorarlbergs, Bd. IV, Innsbruck 1967.

55 *Gösser Ornat*, steirisch, 1239–1269, Detail vom Pluviale (Maria Lactans); Höhe 156 cm, Breite 302 cm. Leinen mit Seide bestickt (Flach-, Gobelin-, Zopf-, Stiel- und Hexenstich), Schadstellen mit Teilen der Casula ausgeflickt. Wien, Österreichisches Museum für angewandte Kunst.

Der Gösser Ornat ist der einzige nahezu vollständig erhaltene Ornat des Mittelalters. Pluviale, Casula, Dalmatica, Tunicella und Antependium sind in Wien aufbewahrt, eine Stola im Schnütgenmuseum (Köln), weitere Teile im Victoria & Albert-Museum (London). Der relativ gut erhaltene Zustand dürfte darauf zurückzuführen sein, daß man die Gewandstücke nur sehr selten verwendet hat (soweit feststellbar nur am Gedenktag der Stifterin des Klosters). Laut eingefügten Inschriften wurden die Stickereien von der Äbtissin Kunigunde (1239–1269) und den Nonnen des Stiftes Göss ausgeführt. Figürliche Szenen, Tierdarstellungen, Fabelwesen und Ornamentik sind miteinander verwoben. Das Programm dürfte auf zeitgenössische religiöse Schriften mit Legenden zum Leben Mariens zurückgehen. Das Mittelmedaillon mit Widmungsinschrift zeigt die stillende Gottesmutter, umgeben von den Evangelistensymbolen, darunter ein Bild der Äbtissin Kunigunde, allerdings nicht das ursprüngliche. Bei einer Restaurierung in der Barockzeit hat man die Gewandstücke verändert, hat vor allem die Casula auf die damals übliche Form zurechtgeschnitten. Die übriggebliebenen Stoffreste wurden zum Ausbessern verwendet. So ersetzt nun das Bild der Stifterin aus der Casula das verlorengegangene im Pluviale. Wo an schadhaften Stellen die Vorzeichnung sichtbar geworden ist, lassen sich stilistische Beziehungen zur Salzburger Buchmalerei feststellen. Die Stickereien, in kräftigen Farben gehalten, geben Zeugnis von der Kunstfertigkeit eines Frauenklosters im hohen Mittelalter.

Literatur: Woisetschläger-Mayer I., Die Kunstwerke des Stiftes Göß, in: Stift Göß, Geschichte und Kunst, Linz 1961. – Rode H.: Der Gößer Ornat, Diss. Wien 1963. – Romanik in Österreich, Ausstellungskatalog, Krems 1964.

56 *Doppelarmiges Reliquienkreuz* (Staurothek), Detail, deutsch, 2. Hälfte 11. Jahrhundert, Fuß Mitte 14. Jahrhundert, Gold- bzw. Silberbeschlag mit Filigran und Edelsteinen, Holzkern. Höhe 33,7 cm. Salzburg, Dommuseum.

Laut Bericht eines Salzburger Chronisten vom Jahr 1598 brachte Erzbischof Johann III. Peckenschlager, der 1476 aus Ungarn fliehen mußte, das Reliquiar nach Salzburg. In seiner Form entspricht es dem Typus des sogenannten Patriarchenkreuzes, das auch als byzantinische kaiserliche Insignie bekannt ist. Vorder- und Rückseite des Holzkernes sind mit Goldblech beschlagen und mit Filigran verziert, die Seitenteile aus Silber gearbeitet. Regelmäßig angeordnete Steine (Topas, Smaragd, Bernstein, Amethyste, Rubine) in runden Kastenfassungen geben der Schauseite eine klare Gliederung. Im Schnittpunkt der unteren Kreuzbalken befindet sich die heute leere Reliquienkammer, darüber eine Gemme aus Jaspis. Sie gehört zu einer Gruppe von Intaglien wohl orientalischer Herkunft und ist in das 11. Jahrhundert zu datieren. Mit dem Reiter, der gegen einen Drachen kämpft, könnte der hl. Demetrius gemeint sein. Der einen Bergkristall umschließende Fuß aus vergoldetem Silber wurde Mitte des 14. Jahrhunderts hinzugefügt. Ein verwandtes, dem späten 11. Jahrhundert angehörendes Reliquienkreuz besitzt Stift St. Paul im Lavanttal (Kärnten).

Literatur: Dommuseum zu Salzburg, Kat. Nr. 5, Salzburg 1974.

57 *Hostientaube,* Limoges, vergoldetes Kupfer mit Grubenschmelz, Glaspasten und Türkisen, Höhe 23,5 cm. Salzburg, Dommuseum.

Auf die Herstellung von Hostienbehältern in Taubenform hatte sich im 13. Jahrhundert vor allem Limoges (Frankreich) spezialisiert.
Das Salzburger Stück, fast unversehrt erhalten, gehört zu den schönsten seiner Art. Zwei weitere Exemplare verwahren Stift Göttweig (Niederösterreich) und das Museum für angewandte Kunst in Wien. Das Gefieder des Tieres ist fein ziseliert, Flügel und Schwanz sind durch Emaileinlagen – in der Technik des Grubenschmelzes – farbig hervorgehoben. Cabochons aus Türkisen und farbigen Glaspasten vervollständigen den Schmuck. Eine kleine ovale, mit einem Deckel verschließbare Mulde am Rücken der Taube diente zur Aufbewahrung der konsekrierten Hostien für Kranke und Sterbende. Behälter dieser Art waren an Kettchen hängend und frei schwebend über dem Altar angebracht. Die gewölbte Fußplatte sowie die Schwanzabstützung sind spätere Zutaten, sie stammen vermutlich aus der Zeit, als man die Taube auf einem Ziboriumdeckel befestigt hat.

Literatur: Romanische Kunst in Österreich, Ausstellungskatalog, Kat. Nr. 154, Krems 1964. – Dommuseum zu Salzburg, Kat. Nr. 8, Salzburg 1974.

58 *Löwe von der Kanzel der Franziskanerkirche in Salzburg,* um 1220, Marmor. Länge 73 cm, Breite 28 cm, Höhe 60 cm.

Löwen als Säulenträger waren in der romanischen Sakralarchitektur des 12. und frühen 13. Jahrhunderts vor allem in Venetien, der Lombardei, in Apulien und in der Provence sehr beliebt, sind aber vereinzelt auch in Österreich anzutreffen, z. B. an der Wiener Schotten- und Peterskirche, in Schöngrabern, Kremsmünster und Admont. Sie hatten die Funktion von Wächtern, sollten finsteren Mächten den Eintritt ins Gotteshaus verwehren, symbolisierten aber auch das Böse. Als Träger von Baldachinportalen oder von Kanzeln waren die Löwen Dämonen und dazu verhalten, niedere Dienste zu leisten, dem Guten und Wahren zu dienen.
Das Salzburger Exemplar ist am unteren Ende der Kanzelstiege eingemauert und trägt auf dem Rücken einen Pfeilerstumpf. Das mächtige Tier steht mit nach rechts gewendetem Kopf über einem voll gerüsteten liegenden Mann, der ihm ein breites Schwert in den Leib stößt. Die Darstellung hat symbolischen Charakter, sie bedeutet die Überwindung des Bösen. Der Dämon hat den Menschen in seine Gewalt gebracht, doch kann sich dieser mit Hilfe des Glaubens aus ihr befreien.
Die stark plastische Durchmodellierung der einzelnen Teile weist das Werk in die Spätromanik.

Literatur: Österreichische Kunsttopographie, Bd. 9, Die kirchlichen Denkmale der Stadt Salzburg, Wien 1912.

59 *Karner in Tulln, Portal,* 2. Hälfte 13. Jahrhundert.

Eine österreichische Besonderheit sind die zahlreichen Karner, zweigeschossige Totenkapellen, die meist neben der Pfarrkirche im Friedhof stehen. Sie dienten einerseits zur Aufnahme der bei einer Neubelegung des Gottesakkers ausgegrabenen Totengebeine, andererseits für Totenmessen und hatten deshalb zwei Eingänge: der tiefer gelegene führte ins Beinhaus, der andere über Stufen ins Obergeschoß.

Der Tullner Karner, das schönste und reichste Beispiel dieses Typs in Österreich, dürfte um 1260 entstanden sein. Spätromanische Dekorationselemente verbinden sich mit frühgotischen Formen. Die Außenwände des elfseitigen Baues, dem eine halbrunde Apsis angefügt ist, sind durch spitzbogige Blendarkaden, Halbsäulchen, umlaufenden Rundbogenfries und Zahnschnitt gegliedert. Vierteilige Blendarkaturen mit Dreipaßbogen schmücken die Sockelzone. Ein mehrfach abgestuftes Trichterportal, zu dem eine doppelläufige Freitreppe emporsteigt, führt ins Innere. Über den prächtigen Knospenkapitellen der Gewändesäulchen verkröpft sich ein romanischer Blattornamentfries, Pfosten und Archivolten sind mit Rhomben-, Zakken-, Zangen- und Faltenmustern geziert. Ein Dreipaß faßt die Malerei (erneuert) im Bogenfeld ein. Die Holztür besitzt noch ihren ursprünglichen Eisenbeschlag. Den runden Kapellenraum, der sich über dem halb unterirdischen Beinhaus erhebt, gliedern doppelte Blendarkaden; das Gewölbe wird durch sechs profilierte Rippen unterteilt. Die romanischen Malereien wurden im 19. Jahrhundert so stark »restauriert«, daß vom alten Bestand nur mehr ikonographische Anhaltspunkte übrigblieben.

Literatur: Maria Carpa, Die Karner Niederösterreichs, Diss. Wien 1926. – Rupert Feuchtmüller, Kunst in Österreich, Bd. 1, Wien 1972.

60 *Stiftskirche St. Paul im Lavanttal, Apsiden des Chores,* um 1200.

Das Stift St. Paul im Lavanttal, 1091 gegründet, war nach Ossiach und Millstatt das dritte Benediktinerkloster auf Kärntner Boden. Die Besiedlung erfolgte durch Mönche aus Hirsau. Die erste 1093 geweihte Kirche mußte dem heute noch bestehenden Neubau weichen, der um 1220 vollendet wurde. Ein Brand im Jahre 1367 vernichtete die Holzdecke im Ostteil, worauf man dort gotische Rippengewölbe einzog; die Einwölbung des Langhauses erfolgte 1468. Abt Hieronymus Marchstaller begann im 17. Jahrhundert nach dem Muster des Escorial in Madrid eine neue regelmäßige Klosteranlage zu errichten, von der jedoch nur zwei Drittel zur Ausführung gelangten.

Die dreischiffige romanische Pfeilerbasilika mit stark vorspringendem Querhaus und westlicher Doppelturmfassade wird an drei Seiten von den Stiftsgebäuden umschlossen. Das Quaderwerk aus Koralpenmarmor ist äußerst sorgfältig gefügt. Hirsauischer Einfluß macht sich im Ostabschluß mit Chorquadrat bemerkbar, im Chorus minor für die Nichtsänger und im Fehlen einer Krypta; in der Ausstattung rückte man jedoch weitgehend vom asketischen Vorbild ab. Dies dokumentieren deutlich die mit Blättern und Rosetten belegten Würfelkapitelle sowie die schmückenden Einzelheiten am Außenbau. Besonderen Reichtum an dekorativen Elementen zeigen die Hauptapsis und die beiden kleineren Konchen an den östlichen Querhauswänden. Sie werden durch Blendbögen gegliedert, die über einem reich profilierten Sockel aufsteigen. In der Mitte der Apsiden befindet sich jeweils ein Rundbogenfenster, in dessen Öffnung dünne durchscheinende Alabasterplatten eingesetzt sind. Die Knospenkapitelle der rahmenden Säulen sowie die der Lisenen lassen bereits die kommende Gotik erahnen, doch überwiegt der spätromanische Charakter. Ein umlaufender Rundbogenfries mit Zick-Zack- und Schachbrettbändern schließt die Wandgliederung oben ab.

Literatur: Österreichische Kunsttopographie, Die Kunstdenkmäler des Benediktinerstiftes St. Paul im Lavanttal und seiner Filialkirchen, Wien 1969.

61 *Kirche von Schöngrabern,* Niederösterreich (Weinviertel), Apsis, 13. Jahrhundert.

Die der Gottesmutter geweihte Kirche gehört wegen ihrer Bauplastik zu den eigenartigsten Denkmälern der Romanik. Die figuralen Darstellungen, die für gewöhnlich an den Portalen zu finden sind und die Westfassade beherrschen, erfassen hier den gesamten Bau; sie häufen sich an der Apsis. Der Figurenreichtum, der plastische Stil an sich und die Art der Anbringung sind das Hauptmerkmal von Schöngrabern. Gewisse Analogien lassen sich zu San Michele in Padua und zur Jakobskirche in Regensburg feststellen, doch ist es dort die Eingangsseite, die den Reliefschmuck trägt. Zum Osten Europas, zu russischen Sakralbauten des 12. und 13. Jahrhunderts, gibt es ebenfalls Parallelen. Auch sie sind reich mit Figurenreliefs ausgestattet, jedoch als Kreuzkuppelkirchen ohne besondere Betonung einer Fassade. Hängesäulchen auf Konsolen treten dort ebenfalls auf. In Schöngrabern scheinen sich östliche und westliche Auffassungen zu durchkreuzen. Daten zur Entstehung des Baues sind nicht überliefert. Nach der Form der Gesimse und dem Stil der Plastiken wurde die Kirche (zweijochiges, einschiffiges Langhaus mit Chorquadrat und halbkreisförmiger Apsis) gegen Ende des 1. Viertels des 13. Jahrhunderts errichtet.

Das Äußere der Apsis ist durch gebündelte Dienste, die den reich profilierten Rundbogenfries stützen, in drei Wandabschnitte geteilt. In die obere Zone, von der unteren durch ein umlaufendes Gesims getrennt, sind drei Rundbogenfenster eingelassen; ornamentierte Hängesäulchen flankieren sie. Der Reliefschmuck versinnbildlicht in sechs Feldern die christliche Heilslehre, vom Sündenfall bis zum Jüngsten Gericht, den Kampf des Menschen gegen die Macht des Bösen. Der Zyklus beginnt im unteren Abschnitt, verläuft dort von links (Südseite der Apsis) nach rechts (Nordseite der Apsis) und in der Fensterzone von rechts wieder nach links zurück. Der Sündenfall steht am Anfang der Darstellungen. Eva ißt von der verbotenen Frucht, ein Dämon hält sich an ihrem Arm fest; Adam greift nach dem Apfel, ein Teufel hat ihn an der Schulter gepackt. Im unteren Mittelfeld knien Kain und Abel mit ihren Opfergaben vor Gott. Er thront über einem Drachen, dem Anstifter alles Bösen, der zwei Menschen in seinen Krallen hält, von denen einer sich zu befreien sucht. Links ergreift Kain seinen Bruder und holt zum tödlichen Schlag aus. Die nächste Szene zeigt den Menschen im Kampf mit dem Löwen, der hier ebenfalls das Böse versinnbildlicht. Im rechten Feld der Oberzone ist ein Bärenkampf und die Versuchung des Mannes durch das Weib dargestellt. Über dem Mittelfenster symbolisiert eine Maske den Teufel, in seinen Schlingen haben sich zwei Menschen gefangen, ein Mönch und eine Nonne. Rechts kämpft Samson, das Vorbild Christi, mit dem Löwen und bezwingt ihn; die linke Szene gibt eine Tierfabel wieder, die Fabel vom Kranich, der sorglos seinen Kopf in den Rachen des Wolfes steckt. Der letzte Abschnitt bezieht sich auf das Jüngste Gericht; über dem Fenster wird die Dreifaltigkeit symbolisiert: Gottvater als Maske mit Hand und Buch, Christus sitzend auf dem Schoß Mariens, der heilige Geist über den Weinkrügen der Hochzeit von Kanaan schwebend. Rechts davon ist die Verdammung der Eitelkeit dargestellt, ein Teufel sitzt ihr auf der Schleppe, ein anderer ergreift sie. In der linken Szene erscheint der Erzengel Michael mit der Seelenwaage; der Höllenfürst bringt das Sündenregister, doch die guten Werke der Menschen haben mehr Gewicht. Zahlreiche Personifikationen des Bösen, die am Bau angebracht sind, vervollständigen den symbolischen Gehalt.

Literatur: Romanische Kunst in Österreich, Ausstellungskatalog, Krems 1964. – Rupert Feuchtmüller, Kunst in Österreich, Bd. 1, Wien 1972.

62 *Krypta des Domes zu Gurk* (Kärnten), um 1140 begonnen, 1174 geweiht.

Der heutige Dom, ursprünglich eine flachgedeckte Pfeilerbasilika mit drei Apsiden, Querhaus und Doppelturmfassade, wurde an Stelle einer älteren Kirche um etwa 1140 unter Bischof Romanus I. begonnen. Über die Baugeschichte gibt es nur spärliche Nachrichten. Die Weihe des Hauptaltars fand 1200 statt. Westempore und Türme dürften erst gegen 1214 bzw. 1220 fertiggestellt worden sein. Bis auf eine spätgotische Einwölbung hat sich die Kirche bis heute nahezu unverändert erhalten. Sie zeigt die geschlossene Form der bayrischen Pfeilerbasilika. Im später eingefügten und daher nicht vorspringenden Querhaus wurde sächsischer Stützenwechsel verwendet. Die schmucklosen Würfelkapitelle sind der hirsauischen Formensprache verpflichtet, sonst ist am Bau jedoch wenig von reformatorischer Gesinnung zu merken. Dem hirsauischen Prinzip widerspricht vor allem die Krypta, die zu den bedeutendsten Kunstwerken Österreichs zählt. Sie weist in die Lombardei. Geistiges Zentrum des 100-säuligen Hallenraumes ist das Grab der Gräfin Hemma, der Gründerin eines Nonnenklosters in Gurk. 1174 wurde ihr Leichnam aus der ehemaligen Marienkirche in die Krypta des Domes überführt, die daher zu diesem Zeitpunkt schon vollendet gewesen sein muß. Sechs rechteckige Stützpfeiler sowie 96 Marmorsäulen mit hochgezogenen Schäften und schmucklosen Würfelkapitellen tragen das Kreuzgratgewölbe und teilen den quadratischen Raum (20x20m) in 13 Schiffe, zwei paarweis gekuppelte stehen am Eingang zur Apsis. Von der Oberkirche wird die Krypta durch die im Mittelalter übliche Lettnerwand geschieden.

Literatur: K. Ginhart-B. Grimschitz, Der Dom zu Gurk, Wien 1930. – S. Hartwagner, Der Dom zu Gurk, Klagenfurt 1963. – Rupert Feuchtmüller, Die Sakralbauten, in: Romanische Kunst in Österreich, Ausstellungskatalog, Krems 1964.

63 *Sündenfall aus dem Freskenzyklus der Westempore des Domes in Gurk,* 1260/70, Fresko mit Seccoauflage.

Die Westempore, eine Bischofskapelle über der Vorhalle zwischen den Türmen, wurde gegen 1214 vollendet, um die Mitte des 13. Jahrhunderts durch Brand beschädigt und bis 1264 wiederhergestellt. Diese Daten können allerdings nur aus Inschriften auf den Wandmalereien und wenigen Nachrichten erschlossen werden. Laut einer Urkunde, den Altar betreffend, war der Raum 1211/1213 noch nicht vollendet. In den Bogenzwickeln über der ehemaligen Emporenapsis (beim Einbau der Orgel 1778 demoliert) sind zwei Bischöfe von Gurk dargestellt und inschriftlich als Otto I. (1214 gewählt, noch vor seiner Weihe im selben Jahr verstorben) und Dietrich II. (1253–1278) bezeichnet. Da sie als gleichrangig gezeigt werden, könnte Otto der Vollender des Baues gewesen sein und könnte ihn noch 1214 vor seinem Tod geweiht haben. Die Wiederherstellung nach dem Brand muß 1264 beendet gewesen sein, denn in diesem Jahr weihte Dietrich II. den Raum abermals. Die Wandmalereien der Westempore gehören zu den bedeutendsten Schöpfungen des – wohl in Nordwest- und Mitteldeutschland entstandenen – Zackenstils. Marienglorie und Christusverehrung sind einander gegenübergestellt. Ein Gurtbogen teilt den Raum (11,40x8,45m) in zwei rechteckige, kreuzgewölbte Travéen. Den architektonischen Gegebenheiten entspricht auch das Programm der Gewölbe. In der Osthälfte ist das irdische Paradies dargestellt, in der Westhälfte das himmlische. Die Grate des Ostgewölbes sind zu Paradiesesflüssen umgedeutet, im Zentrum sitzen Flußgötter. Die vier Gewölbeflächen zeigen Szenen aus der Geschichte des ersten Menschenpaares: die Einführung Adams ins Paradies, die Belehrung Adams und Evas, den Sündenfall und wahrscheinlich (heute zerstört) die Vertreibung. Der Baum der Erkenntnis nimmt jeweils die Mittelachse ein, dazwischen sind kleinere Bäume, den Paradiesgarten symbolisierend, angeordnet. Die Grate im Westgewölbe werden, in Anlehnung an die des östlichen Teiles, ebenfalls hervorgehoben, hier durch die Türme des Himmlischen Jerusalems.

Den beherrschenden Platz in der Osttravée nimmt über der ehemaligen Apsis der Thron Salomons ein; im Mittelpunkt thront Maria mit Christus, umgeben von Tugenden und Propheten. 14 nimbierte Löwen zu ihren Füßen symbolisieren die beiden Johannes und die Apostel. Dieser Komposition ist auf den Seitenwänden die Verkündigung an Anna und Maria zugeordnet (1808 nach einem Brand durch Lösch- und Regenwasser nahezu vollständig zerstört). In der Westtravée werden die Verklärung Christi, der Heimritt der Heiligen Drei Könige und der Einzug in Jerusalem dargestellt.
Die Erhaltung der Malereien kann als gut bezeichnet werden, sie waren nie übertüncht oder übermalt, doch haben sie einiges von ihrer ursprünglichen Farbigkeit eingebüßt, vor allem durch chemische Veränderungen im Blau, das sich im Lauf der Zeit grün verfärbte. Auch die Transparenz des heutigen Zustandes ist das Ergebnis eines Alterungsvorganges. Einst überdeckte dichterer, vollerer Farbauftrag die erst allmählich sichtbar gewordene Vorzeichnung. Über die Datierung der Fresken wurde und wird noch viel diskutiert. Vor allem hat die Darstellung der beiden Stifter Anlaß zu verschiedenen Hypothesen gegeben. Ein Teil der Forscher glaubt die Ausschmückung der Westempore mit dem ersten Weihedatum in Verbindung bringen zu können (Grimschitz, Ginhart, Feuchtmüller). Ihrer Meinung nach sind sie unter Dietrich II. nur restauriert worden. Mittels stilgeschichtlicher und epigraphischer Argumente datiert die zweite Gruppe (Frodl, Swoboda, Demus) die Fresken in spätere Zeit und vertritt die These, daß sie erst nach der Weihe von 1264 in Auftrag gegeben worden seien.
Zwei Meister teilten sich die Arbeit, ein älterer war in der Ost-, ein jüngerer in der Westtravée tätig. Für ersteren sind einfache Konturen mit einem Minimum an Zickzackfalten charakteristisch, für letzteren komplizierte Linienführungen. Über die Herkunft der Künstler ist nichts bekannt; einer einheimischen Werkstatt gehörten sie jedenfalls nicht an. Ihr Stil weist nach dem Westen (Mittelrhein oder Bayern?). Beide Meister dürften gleichzeitig an den Fresken der Westempore gearbeitet haben. Der einheitlichen Gesamtkomposition nach gab es kaum eine längere Unterbrechung. Der Gurker Freskenzyklus muß nach seiner Vollendung gewaltigen Eindruck gemacht haben. Die Malereien im Karner von Pisweg, in der Andreaskirche in Grades, in der Deutschordenskirche zu Friesach, in Steuerberg und Maria Gail sind ihm verpflichtet.

Literatur: K. Ginhart-B. Grimschitz, Der Dom zu Gurk, 1930. – W. Frodl, Die romanische Wandmalerei in Kärnten, Klagenfurt 1942. – S. Hartwagner, Der Dom zu Gurk, Klagenfurt 1963. – K. M. Swoboda, Zur Datierung der Wandmalereien in der Westempore des Doms zu Gurk, in: Mitteil. d. Inst. f. Öst. Geschichtsforschung, Jg. 73, 1965. – O. Demus, Die romanische Wandmalerei, München, 1968. – R. Feuchtmüller, Kunst in Österreich, Bd. 1, Wien 1972.

64 Kreuzgang im ehemaligen Stift Millstatt (Kärnten), 12. Jahrhundert.

Mehrere erhalten gebliebene karolingische Flechtwerksteine weisen darauf hin, daß in Millstatt im 9. Jahrhundert bereits eine Kirche stand. Die Gründung des Stiftes fällt in die 2. Hälfte des 11. Jahrhunderts, zur höchsten Blüte gelangte es im 12. und 13. Jahrhundert. Damals bestand dort eine eigene Mal- und Schreibschule sowie eine bedeutende Bildhauerwerkstatt. Im 15. Jahrhundert geriet das Kloster in Verfall, sodaß es der Papst 1469 schließlich aufhob. Später wurde es Sitz des von Kaiser Friedrich III. gegründeten St. Georgs-Ritterordens. 1602 zogen die Jesuiten in Millstatt ein und statteten die Kirche mit Barockaltären aus; sie dient seit 1773 als Pfarrkirche.
Der Kreuzgang mit seinen Bildwerken gehört dem 1. und 2. Drittel des 12. Jahrhunderts an, einer Zeit also, in der die künstlerische Ausschmückung solcher Anlagen einsetzte. Den Anlaß gaben vermutlich neue Gottesdiensthandlungen und Prozessionen. Hier wurden Altäre und Gnadenbilder aufgestellt, hier hatten edle Wohltäter der Kirche und Klosterangehörige ihre letzte Ruhestätte. Die Umgestaltung zu prunkvollen Wandelhallen erreichte ihren Höhepunkt in der 1. Hälfte des 13. Jahrhunderts. Der Kreuzgang, der sich meist an eine Längsseite der Kirche anlehnt, diente auch dem gemeinsamen Leben der Mönche; um ihn gruppierten sich die Klostergebäude. Der Ursprung dieser Bauform ist im Atrium oder den Peristylhöfen der antiken Wohnbauten zu suchen. Von besonderem Reiz sind in Millstatt die verschiedenen Säulchenkapitelle und -basen der Arkadenfenster. Die Darstellungen haben symbolischen Charakter, sie weisen auf die Überwindung des Bösen hin. Mitunter gibt es auch drollige Szenen. So hat z. B. ein Bildhauer die Basis einer Doppelsäule als Löwe gestaltet, der von einem Männchen, das verkehrt auf seinem Rücken reitet, in den Schwanz gebissen wird.

Literatur: Rupert Feuchtmüller, Kunst in Österreich, Bd. 1, Wien 1942.

65 Kreuzgang im Stift Zwettl, 1. Drittel 13. Jahrhundert.

Das Zisterzienserkloster Zwettl im Waldviertel wurde 1138 von Hadmar I. von Kuenring, einem reichen Ministerialen der Babenberger, gegründet. Der hierfür ausgesuchte Bauplatz entspricht den Ordensvorschriften: er liegt in der Einsamkeit, in einer Niederung am fließenden Wasser und wird von bewaldeten Höhen umschlossen. Die ersten Mönche kamen aus der Abtei Heiligenkreuz, die wenige Jahre vorher Markgraf Leopold III. gestiftet hatte. Die Weihe der Kirche fand bereits 1159 statt. Ein jahrhundertelang währender kontinuierlicher Ausbau gab dem Kloster schließlich seine heutige Gestalt. Im 1. Drittel des 13. Jahrhunderts wurde der Kreuzgang errichtet, 1343–1383 erhielt die romanische Kirche einen hochgotischen Hallenchor. Die Barockisierung des Klosters, die im 17. Jahrhundert begann, erreichte unter Abt Melchior von Zaunagg (1706–47) ihren Höhepunkt.
Durch die enge Bindung des Zisterzienserordens an sein

französisches Mutterkloster Citeaux wurde, wie überall in Europa so auch in Zwettl, die Gotik schon sehr früh aufgenommen. Dies zeigt am deutlichsten der Kreuzgang. Während Nord- und Ostflügel noch romanisches Gepräge tragen, sind Süd- und Westflügel bereits frühgotischen Bauformen burgundischer Herkunft verpflichtet. Der Stilwandel vollzog sich kontinuierlich und ist auch an den dekorativen Details deutlich ablesbar. Die vier Trakte öffnen sich zum Hof jochweise durch Rosenfenster und drei- bis vierteilige Arkaden. Der Reiz, den diese Anlage ausstrahlt, beruht vor allem auf der reichlichen Verwendung von Säulchen als Träger der Gewölberippen, Gurten und Archivolten sowie deren mannigfacher Gestaltung.

Literatur: R. Schmalbaug, Stift Zwettl, Führer 1949. – Floridus Röhrig, Alte Stifte in Österreich, Bd. I, Wien 1966.

66 *Brunnenhaus im Kreuzgang des Stiftes Heiligenkreuz,* Ende 13. Jahrhundert, Bleibrunnen Ende 16. Jahrhundert.

Kloster Heiligenkreuz, 1133 von Markgraf Leopold III. auf Anregung seines Sohnes Otto gestiftet, ist die früheste Niederlassung des Zisterzienserordens im Land der Babenberger. Die Besiedlung erfolgte durch Mönche aus Morimond. Bald begann eine rege Bautätigkeit, die sich kontinuierlich bis weit ins 13. Jahrhundert hinein erstreckte und im 1295 geweihten gotischen Hallenchor ihren Höhepunkt erreichte. In den Türkenkriegen erlitt das Kloster schwere Schäden, aber erst im Laufe des 17. Jahrhunderts kam es unter tatkräftigen Äbten zum Wiederaufbau.
Der von 1220–1250 errichtete Kreuzgang bildet den Mittelpunkt der mittelalterlichen Stiftsanlage; er hat seine ursprüngliche Gestalt bis heute unversehrt bewahrt und gehört mit denen von Zwettl und Lilienfeld zu den bedeutendsten seiner Art nördlich der Alpen. Die Bauarbeiten begannen in der Nordwestecke und schritten im Sinne des Uhrzeigers rundum fort, wobei sich deutlich die Entfaltung der frühgotischen Stilformen verfolgen läßt.
Das am Südflügel gelegene Brunnenhaus, das stets Mittelpunkt des gemeinsamen Mönchslebens und seiner Riten gewesen ist, gehört dem Ende des 13. Jahrhunderts an. Reiches Blendmaßwerk, das stilistisch weit über die Zeit seiner Entstehung hinausweist, umzieht die Sockelzone. Die hohen Fenster haben noch ihren alten Bestand an bunten Glasscheiben bewahrt, sie zeigen ornamentale Verzierungen sowie Bildnisse der Babenberger Markgrafen und Herzöge.

Literatur: P. Hermann Watzl S. O. Cist., Das Stift Heiligenkreuz, Mödling 1957. – Floridus Röhrig, Alte Stifte in Österreich, Bd. I, Wien 1966.

67 *Klosterneuburger Madonna,* österreichisch, Anfang 14. Jahrhundert, Kalkstein, Höhe 1,50 m, Reste alter Bemalung, stark fragmentiert. Stift Klosterneuburg, Lapidarium.

Die Klosterneuburger Madonna steht am Anfang der Entwicklung, die die 1. Hälfte des 14. Jahrhunderts beherrscht. In ihrer Erhabenheit und Breite erinnert sie noch an romanische Skulpturen, weist aber durch ihren Liebreiz bereits in die Zukunft.
Plastische Darstellungen der thronenden Gottesmutter mit dem Kind auf dem Schoß kamen im Abendland im frühen 11. Jahrhundert auf und erfreuten sich in der Folgezeit großer Beliebtheit. Meist hält Maria ihren Sohn, der immer mit einem langen Hemdchen bekleidet ist, auf dem linken Oberschenkel. Obwohl die Mutter den Thron für das göttliche Kind symbolisiert, ist in der Regel auch ihr Sitz reich ausgestaltet. Dies trifft für den Thron der Klosterneuburger Madonna ebenfalls zu, der neben zierlichen Maßwerkformen und dreiblättrigen Verzierungen auch runde Ausnehmungen zeigt, in die gewiß einst Edelsteine eingesetzt waren. Im Gegensatz zur Monumentalität, die der Figur anhaftet, stehen die weich fließenden Gewandfalten, der modisch gekräuselte Saum des Kopftuches und die feinen Gesichtszüge, die ein zartes Lächeln umspielt. Von eingehendem Naturstudium zeugt die Art und Weise, wie der Gürtel durch eine Schnalle zusammengehalten wird und wie sein Ende herabhängt.
Der Künstler hat die noch traditionsgebundene Form durch realistische Details aufgelockert. Eine Datierung in die Zeit um 1310 hat die größte Wahrscheinlichkeit. Stilistisch steht die Klosterneuburgerin den Fresken und Glasmalereien aus der Babenberger Residenz nahe; in deren Umgebung dürfte wohl auch ihr Meister zu suchen sein.

Literatur: Josef Zykan, Die Plastik, in: Die Gotik in Niederösterreich, Wien 1963. – Rupert Feuchtmüller, Kunst in Österreich, Bd. 1, Wien 1972.

68 *Kreuzigung von der Rückwand des Verduner Altars,* österreichisch, 1331. Tempera auf Holz, 120,5 x 108,5 cm. Klosterneuburg, Stiftsgalerie.

Die vier Temperabilder, die anläßlich der Adaption der Emailtafeln des Nikolaus von Verdun zu einem Triptychon an dessen Rückseite angebracht wurden, gehören zu den ältesten Denkmälern der Tafelmalerei nördlich der Alpen. Dargestellt sind Tod und Auferstehung Christi (Seitenflügel) sowie Tod und Krönung Mariens (Mittelteil). Der Künstler ist nicht bekannt, gehört aber zu den größten seiner Zeit. Die Bilder atmen den Geist der mittelalterlichen Mystik. Intensiv setzt sich der Meister mit der zeitgenössischen italienischen Malerei auseinander, als direktes Vorbild können die Fresken Giottos in der Arena-Kapelle zu Padua angesprochen werden. Die Komposition ist dem italienischen Meister stark verpflichtet. Das zeigt sich in der strengen Symmetrie, der T-Form des Kreuzes und den schwebenden Engeln, die das Blut des Erlösers auffangen. Links wird die schmerzvoll gebeugte Gottesmutter von heiligen Frauen gestützt, rechts stehen der trauernde Johannes und der römische Hauptmann,

der mit seinem Schriftband in der Hand auf den Gekreuzigten hinweist; hinter ihnen drängen sich die Schergen. Unter dem Kreuz kniet in weißem Habit der Stifter Propst Stephan von Sierndorf.
Monumentalität und Räumlichkeit, die Errungenschaften Giottos, sind jedoch beim österreichischen Meister zurückgetreten; das Reale wird hier vom Irrealen überblendet. Viel zu diesem Eindruck trägt der Goldgrund bei. Manchmal gerät der Künstler mit dem neuen Raumdenken in Konflikt; die dritte Dimension ist ihm nicht immer geglückt. Umsomehr versteht er sich aber auf seelische Ausdruckskraft.

Literatur: Floridus Röhrig, Der Verduner Altar, Wien 1955. – Rupert Feuchtmüller, Kunst in Österreich, Bd. 1, Wien 1972.

69 *Ziborium,* Wien oder Konstanz, um 1325. Vergoldetes Kupfer und Silber mit Grubenschmelz. Die Bekrönung des Deckelknaufes fehlt, Höhe 37 cm. Stift Klosterneuburg.

Auf dem Deckel des Gefäßes sind Szenen aus dem Marienleben, auf der Cuppa solche aus der Passion Christi dargestellt, unterhalb Propheten. Ein Emailmedaillon mit der Auferstehung Christi schmückt die Innenseite des Dekkels, ein anderes die Unterseite des Fußes; es zeigt eine Löwin, die ihre totgeborenen Jungen durch ihr Gebrüll wieder zum Leben erweckt – nach Physiologus (Sammlung von christlich umgedeuteten antiken Tierfabeln) ein Christussymbol. Die typologische Gegenüberstellung dieser beiden Szenen spricht gegen die Theorie, daß das Gefäß ursprünglich eine Pyxis gewesen sei, der man den hohen achtpaßförmigen Fuß und Deckelknauf erst später angefügt habe. Jüngere Ergänzungen dürften lediglich die der Fußplatte aufgelegten Silbermedaillons mit Evangelistensymbolen sein. Ursprünglich waren vermutlich auch hier Emailbilder angebracht. Ob das Gefäß als Ziborium oder Reliquiar diente, läßt sich nicht mit Sicherheit entscheiden. Dem christologischen Programm nach, das sich auf die Auferstehung bezieht, dürfte es eher ein Ziborium gewesen sein, in dem die Hostien beim hl. Grab aufbewahrt wurden. Auch die Frage nach dem Herstellungsort ist problematisch. Der früher als sicher angenommene Zusammenhang der Emails mit den 1331 in einer Wiener Werkstätte entstandenen Ergänzungstafeln des »Verduner Altars«, läßt sich stilistisch nicht eindeutig nachweisen. Gewisse Beziehungen gibt es zu Konstanzer Goldschmiede- und Emailarbeiten, auch hinsichtlich der technischen Grundlagen. Vergleiche mit ähnlichen Werken führen zu einer Datierung um 1325.

Literatur: Joseph Braun, Das christliche Altargerät, München 1932. – Heinrich Klapsia, Katalog der Kunstsammlungen im Stift Klosterneuburg Bd. V., Goldschmiedearbeiten, Kat. Nr. 4, Wien 1943. – Hermann Filliz, Das Kunstgewerbe, in: Die Gotik in Niederösterreich, Wien 1963. – Gotik in Österreich, Ausstellungskatalog, Kat. Nr. 214, Krems 1967.

70 Einzug Christi in Jerusalem aus dem Chorschlußfenster der Stiftskirche in Viktring (Kärnten), spätes 14. Jahrhundert, Scheibengröße 46 x 87 cm.

Das Zisterzienserstift Viktring wurde 1142 gegründet und bestand als solches bis zur Aufhebung im Jahr 1786. Die ersten Mönche, die aus Lothringen kamen, begannen unverzüglich mit dem Bau von Kirche und Kloster. 1202 fand die Weihe statt. Durch Stiftungen und Käufe von Besitzungen wurde Viktring bald eines der reichsten Klöster Kärntens. Besonderer Blüte erfreute es sich unter Abt Johannes II. (1312–1345), einem berühmten Geschichtsschreiber und Diplomaten.
Den größten Schatz der Kirche stellen heute die Glasmalereien aus dem späten 14. Jahrhundert im Chorschluß der Kirche dar. Das mittlere, dreiteilige Fenster enthält Szenen aus der Passion Christi – vom Einzug in Jerusalem bis zum Pfingstwunder –, Wappen, ein kniendes Stifterpaar und perspektivische Architekturen.
Der Einzug in Jerusalem erstreckt sich über drei Horizontalfelder, im mittleren reitet Christus auf dem Esel, in den seitlichen drängt sich das Volk und sein Gefolge um ihn. Maßwerkähnliche, profilierte Doppelbogen bilden den oberen Abschluß der Szene; der rubinrote Hintergrund ist mit üppigem Rankenwerk belegt.
Die beiden seitlichen, zweiteiligen Fenster enthalten Szenen aus dem Marienleben und Darstellungen stehender Apostel.
Die 60 Scheiben der Stiftskirche Viktring, die besten gotischen Glasmalereien Kärntens, zeigen enge Beziehungen zur sogenannten Herzogswerkstatt. Unter diesem Begriff hat Franz Kieslinger eine Reihe von Kunstwerken zusammengeschlossen, die sich, bis um die Wende zum 15. Jahrhundert verfolgbar, durch bestimmte Eigenheiten und hohe Qualität von den übrigen zeitgenössischen Erzeugnissen unterscheiden und ohne Zweifel einer Werkstatt entstammen. Hierzu gehören neben den Viktringer Fenstern die von St. Erhart in der Breitenau (Steiermark), einige von Maria am Gestade, die Herzogscheiben aus St. Stephan, Glasmalereien im Museum des Neuklosters und der Freisingerkapelle in Wiener Neustadt sowie aus der Schloßkapelle von Ebreichsdorf. Übereinstimmungen bestehen sowohl im Technischen als auch in den Typen, der Komposition und der Farbe. Die Figuren sind biegsam, zart und doch voll Körperlichkeit, soweit dies innerhalb einer linearen, flächigen Kunst möglich ist. Das neue Raumgefühl hat auch die Architekturdarstellungen erfaßt. Die meisterhaften Schöpfungen der Herzogswerkstätte blieben nicht ohne Wirkung auf andere kleinere Ateliers, ihre Errungenschaften machte sich z. B. die Werkstatt von Judenburg zunutze.

Literatur: Franz Kieslinger, Gotische Glasmalerei in Österreich bis 1450, Wien 1928. – Walter Frodl, Glasmalereien in Kärnten 1150–1500, Klagenfurt–Wien 1950. – Karl Ginhart, Viktring, Christliche Kunststätten Österreichs Nr. 32, Salzburg 1962.

71 Hl. Katharina aus einem Glasfenster der Wallfahrtskirche in Straßengel bei Graz, um 1350–1360.

Die 1355 geweihte Kirche, ein Kleinod der österreichischen Gotik, gehört zum Zisterzienserstift Rein und wurde auf Veranlassung Abt Hartwigs errichtet. Sie ist dem Chorbau der Wiener Stephanskirche verpflichtet, der hohe achteckige Turm mit seinem durchbrochenen Helm erinnert ebenfalls an das künstlerische Programm der Dombauhütte.
Das Kostbarste der mittelalterlichen Ausstattung sind die Glasgemälde in den Chorfenstern und der südlichen Fensterrose, allerdings stark restauriert und mit neuen untermischt. Neun Scheiben verwahrt das Landesmuseum Joanneum in Graz, zwei das Österreichische Museum für angewandte Kunst in Wien. Geschlossene Zyklen wie in Viktring haben sich hier nicht erhalten. Einige der Glasmalereien, z. B. die mit Darstellungen aus dem Marienleben, stehen den Arbeiten der Wiener Werkstätte nahe, doch fehlt ihnen deren Monumentalität. Dies gilt auch für die perspektivischen Architekturen, die manche Szenen umrahmen. Die hl. Karharina steht z. B. unter einem in Unteransicht wiedergegebenen Baldachin. Ähnlich wie in Viktring ist der Hintergrund, ein dunkles kaltes Blau, mit Blattwerk belegt.
Das umfangreiche Programm in Straßengel wurde nach der Mitte des 14. Jahrhunderts von einem Wiener Meister begonnen, doch arbeiteten auch lokale Kräfte mit, die die in den Werkstätten der Residenz entwickelten Tendenzen übernahmen und sie ihren Schöpfungen sozusagen aufpfropften; damit trugen sie zur Entwicklung eines mehr volkstümlichen Stils bei.

Literatur: Franz Kieslinger, Gotische Glasmalerei in Österreich bis 1450, Wien 1928. – Eva Frodl-Kraft, Glasmalerei, in: Gotik in Österreich, Ausstellungskatalog, Krems 1967.

72 Chor der Franziskanerkirche in Salzburg, 1408 von Hans von Burghausen begonnen, um die Mitte des 15. Jahrhunderts von Stephan Krumenauer vollendet.

Laut einer Chronik aus dem 12. Jahrhundert bestand die Kirche bereits vor der Erbauung des Salzburger Domes und gehörte zum Kloster St. Peter (gegründet um 696 n. Chr.). Bischof Virgil ließ sie erneuern; 1139 rückte das Maria geweihte Gotteshaus zur Stadtpfarrkirche auf. Der heutige Bau setzt sich aus zwei stilistisch völlig verschiedenen Teilen zusammen, die ihrerseits wieder durch Barockisierung manche Veränderung erfahren haben: einem spätromanischen basilikalen Langschiff vom Anfang des 13. Jahrhunderts und einem gotischen Hallenchor aus der Mitte des 15. Jahrhunderts. Mit der gotischen Erneuerung wurde 1408 Hans von Burghausen beauftragt, den man früher fälschlich Hans Stethaimer nannte. Sein heller hoher Chor ist nicht Torso einer unvollendet gebliebenen Hallenkirche, sondern ein ganz bewußt im wirksamen Kontrast zum dunklen romanischen Langschiff angelegter Raum. Fünf schlanke hohe Rundpfeiler, von denen einer in der Mittelachse steht, tragen in schwindelnder Höhe ein leichtes Sternrippengewölbe, ein architektonisch gestaltetes, lichterfülltes Himmelszelt. Ein Kapellenkranz mit Umgang (im 17. und 18. Jahrhundert barockisiert), umgibt den dreischiffigen Hallenraum. Vom Langhaus aus wirkt der Mittelpfeiler mit seinen in steilen Bogen abzweigenden Rippen wie ein emporsteigender Baum. Hans von Burghausen, der die Vollendung seiner Schöpfung nicht mehr erlebte (er starb 1432) hat, ausgehend von den Parlerbauten, die Raumschönheit der Hallenkirche im malerischen Sinn gesteigert. Meisterhaft in den Raum hineinkomponiert ist auch der barocke Hochaltar, den man 1710 aufstellte. Johann Bernhard Fischer von Erlach hat den Entwurf hierfür mit feinstem Einfühlungsvermögen gestaltet und einen würdigen Rahmen für die thronende Madonna aus dem ehemaligen gotischen Choraltar des Michael Pacher geschaffen. Die seitlichen Altarwächter, St. Georg und St. Florian, schnitzte Simeon Fries. Das buntbemalte Abschlußgitter aus Schmiedeeisen ist eine Arbeit von Thomas Reckeisen um 1770.

Literatur: P. Baldass, Hans Stethaimers wahrer Name, in: Wiener Jahrbuch für Kunstgeschichte, Bd. 14, Wien 1950. – Jan van der Meulen, Die baukünstlerische Problematik der Salzburger Franziskanerkirche, in: Österr. Zeitschr. für Kunst und Denkmalpflege, Jg. 13, Wien 1959. – Franz Fuhrmann, Der Chor der Franziskanerkirche in Salzburg und sein »Maßgrund«, in: Oeffinger – Festschrift 1967. – Franz Fuhrmann, Die Franziskanerkirche Salzburg, 1969.

73 Schöne Madonna, salzburgisch, um 1410. Rötlicher Steinguß, originale Fassung zum Teil erhalten, Höhe 1,08 m. Salzburg, Franziskanerkloster, Hauskapelle.

Der Begriff »Schöne Madonna« wurde um 1920 geschaffen und bezieht sich auf einem ganz bestimmten Madonnentypus innerhalb des weichen Stils. Eine Reihe von Eigenschaften, die über die allgemeine Lieblichkeit der Schöpfungen um 1400 hinausgehen, sind für ihn charakteristisch. Maria wird sehr schön und jugendlich, fast als Mädchen dargestellt, weiters zeigt sie eine eigentümliche kindhafte Mütterlichkeit. Weite, schwingende Faltenbahnen umhüllen ihren schlanken, zarten Körper, der in seiner Haltung einer weichen S-Linie folgt. Transzendente und irdische Schönheit vereinigen sich hier. Eine wesentliche Rolle in der Mutter-Kind-Beziehung spielt der Apfel, den Maria oft dem lebhaft bewegten Chritusknaben überreicht. Durch zarte Farbgebung und dezente Vergoldung wird der strahlende Eindruck noch gesteigert.
Die Statue im Franziskanerkloster gilt als wichtigste Vertreterin des Salzburger Typs der Schönen Madonnen, in dem sich charakteristische Merkmale aus verschiedenen Gegenden vereinigen. Die Salzachmetropole hat keine Prototypen geschaffen – diese sind im Bereich von Wien zu suchen –; ihre Stärke lag in der Fortbildung und Erweiterung der Form.
Maria hält das diagonal liegende Kind, das von der ober-

sten schüsselförmigen Mantelfalte wie von einer Schale umfangen wird, in ihrem linken Arm und reicht ihm mit der Rechten einen Apfel. Das Gesicht ist fest, rund und etwas herb.

Der Meister hat hier Motive des Thorner und Breslauer Typus verwendet. Vom ersten leitet sich die Traghaltung des Kindes und das Apfelmotiv ab, vom zweiten das Umschließen des Christusknaben mit einer Schüsselfalte. Gegenüber den böhmischen Madonnen zeigen die salzburgischen schwerere und breitere Formen.

Die Plastiken scheinen in Spezialwerkstätten entstanden zu sein, die nur in bestimmten Materialien arbeiteten. Bevorzugt wurden Kalkstein und Steinguß; letzterer bestand, wie chemische Analysen ergeben haben, aus gemahlenem Kalkstein, dem man als Bindemittel gebrannten Kalk und Topfen zusetzte, manchmal auch Gips, um den Härtungsprozeß zu verkürzen.

Der Guß erfolgte in der Technik der verlorenen Form, bei der nur ein Exemplar hergestellt werden konnte.

Der Arbeitsvorgang sei kurz erläutert: Der Bildhauer fertigte zunächst über einem Stützgerüst ein Wachsmodell an. Von diesem ist, ähnlich wie in Bronzegießereien, eine Sandform hergestellt worden. Nachdem man das Wachs ausgeschmolzen hatte, wurden die letzten Reste ausgebrannt. In die so entstandene Hohlform konnte dann die breiige Kalksteinmasse eingefüllt werden und aushärten. Um das Gußstück frei zu bekommen, mußte man die Form zerschlagen; sie ging sozusagen verloren.

Literatur: Schöne Madonnen, Ausstellungskatalog, Kat. Nr. 22, Salzburg 1965. – Spätgotik in Salzburg, Ausstellungskatalog, Kat. Nr. 41, Salzburg 1976.

74 *Stephansdom in Wien,* 2. Drittel 13. Jahrhundert – Anfang 16. Jahrhundert.

Der älteste Bau von St. Stephan wurde 1147 als Pfarrkirche durch den Passauer Bischof Reginbert geweiht, der Westteil dürfte jedoch erst gegen 1160 vollendet worden sein. Wie Ausgrabungen ergaben, handelte es sich um eine dreischiffige, 83 m lange Basilika mit zwei Westtürmen, Querschiff und apsidialem Chorquadrat. Die zweite Kirche, ein Neubau über demselben Grundriß, das letzte Großwerk der Spätromanik im deutschen Sprachraum, wurde etwa 1230/40 begonnen und 1263 geweiht. Von ihm blieb die Westfassade mit dem Riesentor, den »Heidentürmen« und der anschließenden Westempore erhalten. Der reiche figurale und ornamentale Schmuck knüpft an die etwas älteren Werke in Bamberg an.

Mit der Errichtung des großen Hallenchores im Osten, des »Albertinischen Chores«, der um 1304 begonnen und 1340 geweiht wurde, tritt die Gotik in Wien in ihrer vollen Blüte in Erscheinung. 1359 legte Herzog Rudolf IV., der Stifter, den Grundstein zum Neubau des Langhauses, das man unter Beibehaltung des Westteils als gestaffelte Halle um die schmälere romanische Kirche herumbaute und so auf die Breite des Chores brachte. Unter Rudolfs Bruder Albrecht III. (1365–95) wurden die reichen Seitenportale sowie die der Westfassade angefügten Doppelkapellen vollendet. Der hohe Turm am südlichen Querschiff gedieh in dieser Zeit bis zum zweiten Geschoß. Er wächst als steile Pyramide empor, die Verjüngung beginnt bereits in seinen untersten Teilen, schichtenweise tritt die Masse zurück, unmerklich geht das Viereck in ein Achteck über. Der Entwurf dürfte von Michael Chnab, dem Baumeister Albrechts III., stammen. Über dem zweiten Geschoß ist allerdings der Geist eines anderen Architekten spürbar. Da Planänderungen und Baufehler 1407 eine teilweise Abtragung notwendig gemacht hatten, konnte erst der aus Böhmen stammende Baumeister Hans Prachatitz, der als Nachfolger seines 1429 verstorbenen Bruders Peter bis etwa 1435/37 die Leitung der Bauhütte innehatte, 1433 den Südturm vollenden. Als Palier arbeitete unter ihm Hans Puchsbaum, der in Ulm mit dem Peter Parler-Kreis in Berührung gekommen war und 1446 zum Dombaumeister avancierte. Er vollendete die Wölbung des Langhauses und entwarf den Nordturm, dessen Bau jedoch Anfang des 16. Jahrhunderts auf halber Höhe eingestellt wurde. Hans Puchsbaum verhalf mit neuen künstlerischen Ideen der Wiener Bauhütte zu hohem Ansehen. Sein Nachfolger Anton Pilgram, der letzte Dombaumeister von St. Stephan, konzentrierte sich auf die architektonische Innenausstattung.

St. Stephan, das bedeutendste Gotteshaus der Hoch- und Spätgotik in Österreich, ist Symbol einer Stadt geworden. Die Landesfürsten haben den Bau begonnen, die Bürgerschaft führte ihn weiter, bewahrte ihn davor, ein Torso zu bleiben, das Kaiserhaus gab ihm nach der Erhebung zur Bischofskirche neuen Glanz. Die Altarausstattung stammt zum Großteil aus den nachfolgenen Jahrhunderten. Im Zweiten Weltkrieg wurde der Dom schwer beschädigt, der 500-jährige Lärchendachstuhl ging in Flammen auf, zwei Drittel des Chorgewölbes stürzten ein. Die Renovierungsarbeiten begannen bald nach Kriegsende, die Wiedereinweihung konnte 1951 stattfinden.

Literatur: Richard Kurt Donin, Der Wiener Stephansdom und seine Geschichte, Wien 1952. – Rudolf Bachleitner, Der Wiener Dom, Wien 1967.

75 *Anton Pilgram, Orgelfuß mit Selbstbildnis des Meisters,* 1513, Sandstein. Wien, Stephansdom.

Über den Lebensweg Anton Pilgrams ist wenig bekannt. Er wurde vermutlich um 1450/60 in Brünn geboren, arbeitete in Süddeutschland und seit 1502 in seiner Heimatstadt Brünn. 1511 erhielt er die Leitung der Bauhütte zu St. Stephan in Wien. Mit einem neuen Entwurf für die Orgelbühne verdrängte er den Dombaumeister Jörg Oexl. Wie einem Beschwerdebrief der Wiener Steinmetze aus dem Jahr 1512 entnommen werden kann, gab es damals Unstimmigkeiten innerhalb der Bauhütte. In diesem Schreiben, das vermutlich an den Kaiser ging, werden Anton

Pilgram Eigenmächtigkeiten zur Last gelegt, weiters beklagt man sich darüber, daß der Brünner Meister ohne Einwilligung Jörg Oexls und ungeachtet seines bereits zur Hälfte gediehenen Orgelfußes zur Mitarbeit herangezogen worden sei. Sieger in diesem Werkstreit blieb Anton Pilgram. Selbstbewußtsein, vielleicht aber auch ein Gefühl des Triumphes den Hüttengenossen gegenüber mögen ihn veranlaßt haben, am Orgelfuß seine Bildnisbüste mit Zirkel und Winkelmaß anzubringen. Sie trägt den gesamten Aufbau, stützt eine korbförmige Konsole, die aus übereinandergeschichteten sphärischen Fünfecken besteht. Über ihr steigen in sich verzweigte Rippen empor, die die Orgelbrüstung tragen. Eine Inschrift mit dem Monogramm des Meisters nennt die Jahreszahl 1513.

Literatur: Ignaz Schlosser, Die Kanzel und der Orgelfuß zu St. Stephan in Wien, Wien 1925. – Karl Oettinger, Anton Pilgram und die Bildhauer von St. Stephan, Wien 1951.

76 Anton Pilgram, Kanzel, 1514–15, Leithakalk, ursprünglich bunte Fassung. Wien, Stephansdom.

Die Kanzel, das Hauptwerk des letzten Dombaumeisters von St. Stephan, entstand knapp vor dessen Tod. Anton Pilgram war bestrebt, die einzelnen Teile, den Fuß, die Brüstung und den Aufgang so organisch als möglich miteinander zu verbinden. Den Grundriß des Kanzelfußes kann man als eine Variation über das Sechseck bezeichnen. Haupt- und Nebenpfeiler, Säulchen, Baldachintürmchen und Bogen durchdringen einander, nehmen nach oben zu immer reicheren Zierart an und leiten harmonisch zur Brüstung über, auf der unter vieltürmigen Baldachinen die vier Kirchenväter dargestellt sind. Ein System sich kreuzender Rippen bildet die konstruktive Stütze der Stiege, druchbrochene Maßwerkfelder schmücken das Geländer, auf dessen oberster Leiste Eidechsen, Kröten und Schlangen kriechen. Am Pfeiler, an dem der Kanzelfuß emporwächst, hat der Meister sein Selbstbildnis angebracht.
Der Schalldeckel in Gestalt eines Turmes wurde vermutlich erst nach dem Tode Anton Pilgrams ausgeführt – dem Maßwerk und den figürlichen Darstellungen nach von einem eher mittelmäßigen Künstler.
Zeigt der Aufbau der Kanzel Anton Pilgrams Meisterschaft im Umgang mit Zirkel und Winkelmaß, so sind sein Selbstporträt und die Büsten der Kirchenväter, die zugleich die vier Temperamente verkörpern, Zeugnisse für eine hervorragende Bildhauerpersönlichkeit. Im Kanzelfuß ist noch die Gotik das beherrschende Element, bei den Reliefschöpfungen kündet sich bereits die neue Zeit mit ihrem erwachenden Selbstbewußtsein an.

Literatur: Ignaz Schlosser, Die Kanzel und der Orgelfuß zu St. Stephan in Wien, Wien 1925. – Karl Oettinger, Anton Pilgram und die Bildhauer von St. Stephan, Wien 1951.

77 Gitter am Sakramentshäuschen von Maria am Gestade in Wien, um 1500. Eisen vergoldet.

Sakramentshäuschengitter haben die Aufgabe, das Allerheiligste, das man früher in offenen Mauernischen aufbewahrte, vor Raub und Entweihung zu schützen. Ihre Entstehung verdanken sie einem Synodenbeschluß von St. Pölten im Jahr 1274. Beispiele gibt es in ganz Österreich. Die bedeutendsten Leistungen sind in der Spätgotik zu verzeichnen; mit den Gittern in den Kirchen von Steyr, Mauer, Bad Aussee, Heiligenblut und Maria am Gestade in Wien hat die Eisenkunst die Goldschmiedekunst nahezu eingeholt. Unter diesen stellt das Werk des Steyrer Meisters die Krönung dar. Nur außergewöhnliche Qualität des Rohmaterials und hohe technische Fertigkeit erlauben solche Höchstleistungen. Die Muster sind äußerst vielfältig; bevorzugt und unzählige Male variiert werden die Raute und Fischblase. Die Auflösung der Wand ist so wie in der Architektur auch hier das Hauptziel. Blattwerkhöhung oder aufgesetzte Rosetten bilden den Schmuck des Rahmens.
Das Gitter von Maria am Gestade dürfte am Beginn der genannten Reihe stehen. Die vergoldeten, mit Rot unterlegten Fischblasenmuster sind in zwei übereinanderliegenden Schichten gearbeitet, die untere zeigt Kerbschnitt, die obere Stanzarbeit. Ein Rahmen mit reicher Blattwerkverzierung teilt das spitzbogige Gitter in vier Felder. Die Mitte wird durch einen Ziehring betont.

Literatur: Otfried Kastner, Handgeschmiedet, Linz 1967. – Ders., Eisenkunst, in: Gotik in Österreich, Ausstellungskatalog, Krems 1967.

78 Kornmesserhaus in Bruck an der Mur, 1499–1505.

Das Kornmesserhaus gehört zu den bedeutendsten Bürgerhäusern der Spätgotik in Österreich. Erbauen ließ es ein reicher Eisenhändler namens Pankraz Kornmeß. Die Gestaltung der Fassade dürften venezianische Reiseerinnerungen bestimmt haben. Auf den Säulen des Laubenganges im Erdgeschoß ruhen reich mit Krabben besetzte Kielbogen, die von krausem Astwerk umspielt werden. Einige der Kapitelle ähneln der Konsole des Orgelfußes in St. Stephan, sie setzen sich so wie dieser aus übereinandergeschichteten Ecken zusammen. Eine zierliche Loggia nimmt die Mitte des zweiten Geschosses ein. Das durchbrochene Maßwerk der Brüstungsfelder zeigt weitgehende Übereinstimmung mit Meister Kristoffs Musikempore in der Pfarrkirche zu Eisenerz. Es könnte dieser demnach auch am Kornmesserhaus tätig gewesen sein.

Literatur: Rupert Feuchtmüller, Kunst in Österreich, Bd. 1, Wien 1972.

79 Nikolaus Türing d. Ä., Moriskentänzer, Relief vom Goldenen Dachl in Innsbruck, 1500. Mittenwalder Sandstein, Reste alter Fassung, 72 x 82 cm. Innsbruck, Tiroler Landesmuseum Ferdinandeum.

Das Goldene Dachl, ein Prunkerker, wurde zum Gedächtnis an die Hochzeit Kaiser Maximilians I. mit Maria Bianca Sforza von Mailand in den Jahren 1497 bis 1500 errichtet. Es ist heute der einzige Schmuck des »newen Ho-

fes«, den Friedrich IV. mit der leeren Tasche um 1420 als Residenz ausgestaltete. Der maximilianische Vorbau sollte dem Fürstenhof als Zuschauerloge bei Festveranstaltungen auf dem Stadtplatz dienen. Architektur, Plastik und Malerei vereinen sich hier zu einer der reizvollsten Schöpfungen der Spätgotik, die allerdings schon von einem leichten Hauch des Renaissancegeistes umweht wird. Über einer schmalen Laube im Parterre steigt das geschlossene erste Obergeschoß auf. Unter dem vierteiligen Fenster springt eine Balustrade mit Wappenreliefs vor; ein Fresko von Jörg Kölderer (2 Bannenträger mit den Fahnen des Reiches und Tirols) schmückt die Wand. Das zweite Obergeschoß, als Loggia geöffnet, wird von sieben Konsolen getragen; den Abschluß bilden krabbenbesetzte Kielbögen und das mit kupfernen, feuervergoldeten Schindeln gedeckte Dach. Die Fresken im Inneren des Söllers, ebenfalls von Jörg Kölderer ausgeführt, zeigen Szenen aus dem höfischen Leben. Die Brüstung der Zuschauerloge enthält zehn tiefgeschnittene Steinreliefs. In den beiden mittleren ist links Maximilian I. mit seinen Gattinen (Maria von Burgund und Maria Bianca Sforza), rechts mit seinem Kanzler und Hofnarren dargestellt. Die übrigen Felder zeigen Artisten, die – jeweils zu zweit – mit Hunden und Affen wilde Tänze vorführen. Es handelt sich um den im 15. Jahrhundert in ganz Europa beliebten, aus Spanien stammenden Moriskentanz, dem der Hof als Zuschauer und Preisrichter beiwohnt. Eine der beiden Gattinen Maximilians, Maria Bianca, hält einen Apfel in der Hand, den sie dem besten Tänzer überreichen muß. Die Figuren, die sich durch drastischen Realismus auszeichnen, wurden früher Erasmus Grasser zugeschrieben, der ähnliche Tanzszenen für das Münchner Rathaus geschaffen hat. Neueren Forschungen zufolge sind jedoch die Reliefs des Goldenen Dachls sowie dessen architektonische Gestaltung Schöpfungen von Nikolaus Türing d. Ä. Bezeugt wird dies auch durch die zweifache Anbringung seines Wappens im Gewölbe des Söllers.
Türing stammt aus einer in Memmingen beheimateten Familie und scheint ab 1488 Hofwerkmeister gewesen zu sein.
Die Reliefs der Loggiabrüstung wurden 1949 wegen starker Witterungsschäden am Sandstein durch Kopien ersetzt und die Originale dem Tiroler Landesmuseum übergeben.

Literatur: Otto Lutterotti, Das Goldene Dachl zu Innsbruck, in: Große Kunstwerke Tirols, Innsbruck 1951. – Ausstellung Maximilian I. Innsbruck, Ausstellungskatalog, Kat. Nr. 571, Innsbruck 1969. – Vinzenz Oberhammer, Das Goldene Dachl zu Innsbruck, Innsbruck 1970 – Theodor Müller, Gotische Skulptur in Tirol, Bozen 1976.

80 Michael Pacher, Hochaltar der Pfarrkirche in St. Wolfgang, 1471–1481. Schreingröße 3,86 x 3,30 m, Gesamthöhe 12,16 m.

Die bedeutendste, weit über ihr Herkunftsland Tirol hinauswirkende Künstlerpersönlichkeit aus dem späten 15. Jahrhundert war Michael Pacher. Der um 1430 geborene Bildhauer und Maler stammt aus Neustift bei Brixen oder aus dem Pustertal. Er dürfte der erste Tiroler Meister gewesen sein, der die Kunst Italiens aus eigener Anschauung kannte. 1450/53 hielt er sich vermutlich in Padua auf. Intensiv setzte sich der junge Künstler mit den Errungenschaften der Frührenaissance auseinander, besonders mit der Raumperspektive Mantegnas und dem Werk Donatellos. 1460 wurde Pacher in Bruneck im Pustertal als Maler und Bildschnitzer ansässig. 1465/70 unternahm er eine Reise nach Schwaben und kam damals möglicherweise auch in die Niederlande. Als Bildhauer beeindruckte ihn Nikolaus Gerhart van Leyden, als Maler gaben ihm Hugo van der Goes und Rogier van der Weyden bedeutende Anregungen. Ein zweiter Kontakt mit Italien könnte in den Jahren 1475/77 stattgefunden haben. Durch die Verschmelzung heimischer Kunst mit niederländischen und italienischen Elementen schuf Pacher etwas Neues, in die Zukunft Weisendes.
Den Höhepunkt in seinem Schaffen bedeutet zweifellos der Altar von St. Wolfgang, der laut Inschrift 1481 vollendet wurde. Von den Werken des Meisters steht nur dieses noch in seiner ursprünglichen Form am Aufstellungsort. Es handelt sich um einen riesigen Altar mit doppelten, innen und außen bemalten Flügeln. Die Außenseite, wochentags in geschlossenem Zustand, zeigt vier Szenen aus dem Leben des hl. Wolfgang. Der Entwurf hierfür stammt von Michael Pacher, die Ausführung von dessen Bruder Friedrich. Nach Öffnen der äußeren Flügel wird dem Gläubigen in acht Bildern das Leben Christi vor Augen geführt. Die volle Schönheit des Altares erstrahlt an hohen Festtagen. Vier gemalte Szenen aus dem Marienleben (Geburt, Darbringung und Beschneidung Christi, Tod Mariens) umrahmen die Darstellung im Schrein – die Krönung Mariens. Die Figuren bewegen sich frei im Raum. Souverän hat Pacher seine Kenntnisse italienischer und niederländischer Kunst verarbeitet. Eine Fülle von Fialen und Baldachinen – bevölkert mit jubilierenden Engeln – gliedert den dunklen Schrein, umhüllt wie ein Gespinst die Figuren. Die Segnung der gekrönten Maria, überhöht von der Taube des Hl. Geistes, nimmt den Mittelpunkt ein. St. Wolfgang und St. Benedikt wohnen in Seitennischen der hl. Handlung bei. Die Predella zeigt die Anbetung der Könige, das Gesprenge eine Kreuzigungsgruppe, Heilige und im bekrönenden Tabernakel Gottvater. Seitlich des Schreines stehen auf Konsolen St. Georg und St. Florian als Altarwächter.
Die Arbeiten an dem riesigen Werk konnte Pacher nur mit Hilfe seiner Werkstatt bewältigen. Die Scheidung der Hände ist schwierig und die Forschung hier noch nicht endgültig abgeschlossen. Die Ausführung der hoch im Gesprenge stehenden Figuren stammt von Hilfskräften, die Zuweisung der Predellaschnitzereien an Pachers Sohn Hans ist hypothetisch (N. Rasmo).
Das Leben des großen Tiroler Meisters endete 1498 in

Salzburg, knapp vor der Vollendung des Flügelaltars für die Stadtpfarrkirche (heute Franziskanerkirche).
Pacher steht als Bildhauer gleichrangig neben Veit Stoß und Tilman Riemenschneider, als Maler übertrifft er alle anderen Meister seiner Zeit.

Literatur: Nicolò Rasmo, Michael Pacher, München 1969. – Erich Egg, Kunst in Tirol, Innsbruck 1972. – Theodor Müller, Gotische Skulpturen in Tirol, Bozen 1976.

81/82 Altar von Kefermarkt, Passauer Meister (?), 1490–97. Lindenholz, Höhe 13,50 m.

81 Gesprenge

82 St. Christophorus, Größe 1,90 m.

Den Schnitzaltar gab 1490 Freiherr Christoph v. Zelking auf Schloß Weinberg in Auftrag, der 1470 für den Ort – damals noch Keferndorf genannt – auch die Kirche erbauen ließ. Wie aus seinem Testament hervorgeht, hatte er einen gefaßten Altar bestellt; für Aufrichtung, Vergoldung und Bemalung stiftete er auf acht Jahre hindurch jährlich 32 Pfund Pfennig und 50 ungarische Gulden aus seinem Nachlaß. Später verfiel das Kunstwerk, da die Kirche wegen des Übertrittes der Zelkings zum Luthertum zeitweilig gesperrt war. Als 1629 ein katholischer Freiherr auf Schloß Weinberg einzog, wurde der Hochaltar im Sinne einer barocken Denkmalpflege umgebaut und erhielt damals im großen und ganzen seine jetzige Gestalt. Die Predella und die Rückseiten der Flügel gingen verloren; manche Figuren und Ornamente dürften von den Seitenaltären der Kirche stammen. In der Folgezeit geriet das Kunstwerk jedoch abermals in Vergessenheit. Dessen Erhaltung ist Adalbert Stifter zu verdanken, der ihm in seinem Roman »Nachsommer« auch ein bleibendes literarisches Denkmal gesetzt hat. Die unter seiner Leitung stehende Restaurierung von 1852–55 war für die damalige Zeit zweifellos eine große Tat, brachte aber den Verlust der alten Fassung.
Im Schrein stehen unter reichgeschmückten Baldachinen St. Petrus, St. Wolfgang, der Patron der Kirche, und St. Christophorus, der Namensheilige des Stifters; die Flügelreliefs zeigen vier Szenen aus dem Marienleben. Die Hauptfiguren sind ein Meisterwerk gotischer Charakterisierungskunst, die sich nicht nur auf die Köpfe beschränkt, sondern sich auch auf die Körperhaltung und Kleidung erstreckt. Christophorus, hager und sehnig dargestellt, trägt mühevoll seine schwere Last – die Last der ganzen Welt – welche durch den Christusknaben symbolisiert wird. Die Hand hält fest den stützenden Stab umklammert; in den Gesichtszügen, vor allem in den leicht geöffneten Lippen, spiegelt sich Anstrengung und bleierne Müdigkeit wider, aber auch ein eiserner Wille zum Durchhalten.
Das hochaufstrebende, durch drei Türme gegliederte Gesprenge enthält viele Figuren. Zuunterst steht zwischen St. Katharina und St. Barbara Maria mit dem Jesuskind, im Mittelgeschoß, flankiert von Prophetenbüsten, St. Agnes, zuoberst St. Helena.
Das Testament Christoph v. Zelkings nennt zwar den Kaufpreis des Altars, aber keinen Künstlernamen. Trotz intensiver Forschung ist die Meisterfrage noch nicht völlig überzeugend geklärt. Es lassen sich verschiedene Hände feststellen, so zeigen z. B. die Statuen des Aufsatzes Einflüsse Gregor Erhards, die Prophetenbüsten sind künstlerisch von Nikolaus Gerhart van Leyden abhängig. Von einem mehr altertümlichen Meister stammen die Kleinfiguren in den Nischen des Schreins. Die Flügelreliefs zeigen einen romantischen Erzählerstil und liebevolle Landschaftsschilderungen, die der Donauschule nahe stehen. Der führende Meister, wohl der donauländischen Kunst entwachsen, dürfte bei Veit Stoß gelernt und sich mit dem Werk Pachers auseinandergesetzt haben. Als Werkstattsitz wird Passau angenommen.

Literatur: Fl. Oberchristl, Der gotische Flügelaltar zu Kefermarkt, Linz 1923. – O. Kastner, Der Kefermarkter Altar im Wandel der Betrachtung, in: Österreichische Heimatblätter, Jg. 9, Heft 1, 1955. – Marga Pollak – Herbert Lange, Der Altar von Kefermarkt, Linz 1959.

83 Apostelgruppe aus dem Flügelaltar der Pfarrkirche in Mauer bei Melk, 1509/10, Lindenholz, ungefaßt. Schreingröße 3,67 x 2,08 m. Predella fehlt. Gesamthöhe des Altars 5,50 m.

Die Kirche von Mauer, die unter dem Patronat des Benediktinerstiftes Göttweig steht, wird 1096 erstmals genannt. Die ältesten Teile des heutigen Baues gehen auf die Zeit um 1300 zurück. Im 15. Jahrhundert ließen die Herren zu Albrechtsberg, die in Mauer ihre Begräbnisstätte hatten, die der hl. Maria geweihte Wallfahrtskirche großzügig erneuern und gaben vermutlich auch den Auftrag für den Schnitzaltar, der zu den Hauptwerken der Donauschulplastik gehört. Mit seiner sehr originellen Gestaltung weicht er vom üblichen Darstellungsschema ab. Statt der Schreinfiguren baut sich hier in drei Bildzonen eine lebhaft bewegte Szene auf, die die Verklärung Mariens zum Inhalt hat. Die Gottesmutter thront mit ihrem Kind, umgeben von einem Gewirr jubilierender und musizierender Putten, in den Wolken; über ihr schweben zwei Engel mit einer Krone, begleitet von Gottvater und dem Hl. Geist. Im unteren Teil sind männliche und weibliche Heilige versammelt – erkennbar an ihren Attributen: die beiden Johannes, Petrus und Andreas –, die arme Seelen der Himmelskönigin empfehlen. Mit flehenden Gesten und zum Gebet erhobenen Händen blicken diese empor. Die Flügelreliefs zeigen Szenen aus dem Marienleben: Verkündigung, Heimsuchung, Geburt Christi und Marientod. An die Stelle des sonst üblichen Gesprenges ist hier eine Kreuzigungsgruppe getreten. Das ornamentale Beiwerk, Blatt-, Fruchtranken und -girlanden, hat bereits ausgesprochenen Renaissancecharakter. Während die Darstel-

lung des Schreins keine Bildvorlage benützt, gehen die Flügelreliefs mit Ausnahme des Marientodes auf Holzschnitte Albrecht Dürers aus dem Jahr 1504 zurück. Die lebhaft bewegten Figuren mit ihren ausdrucksstarken Physiognomien sind ein Meisterwerk österreichischer Schnitzkunst. Die Gewänder bauschen sich in einem nahezu barock anmutenden Schwung. Durch tiefe Unterhöhlungen bei Falten und Haarlocken werden stark malerische Effekte erzielt.
Im Mittelpunkt der Forschung stand und steht die Frage nach dem Meister, dessen Name nicht überliefert wurde; lediglich die Weihung des Altares im Jahr 1509 ist urkundlich gesichert. Es fehlte nicht an mehr oder weniger glaubwürdigen Zuschreibungen. Fritz Dvorschak z.B. bringt den Passauer Bildschnitzer und Maler Hans Kriechbaum, der unter anderem auch für Göttweig tätig war, mit dem Werk in Verbindung und sieht in diesem den ehemaligen Hauptaltar der Stiftskirche, der später – unbekannt wann – nach Mauer gekommen wäre.
Die Meisterfrage ist bis heute noch nicht eindeutig geklärt; fest steht lediglich, daß der Schöpfer des großartigen Werkes bei Veit Stoß gelernt haben muß und daß dieses, wie neuere Forschungen ergeben haben (R.Feuchtmüller), stets der Hauptaltar der Wallfahrtskirche in Mauer war. In die gleiche Richtung weist auch das Bildprogramm, das ganz auf die Marienverehrung abgestimmt ist. Stilistische Beziehungen gibt es zu den Altären von Zwettl und Breisach.

Literatur: Rupert Feuchtmüller – Eugen Santol, Ein Wunder gotischer Schnitzkunst, St. Pölten 1955. – Fritz Dvorschak, Die Ausläufe der Spätgotik, in: Die Gotik in Niederösterreich, Wien 1963.

84 Meister des Schottenaltars, Die Flucht nach Ägypten, um 1470. Öl auf Eichenholz, 88,5 x 82 cm. Wien, Schottenstift.

Den Meister des Schottenaltars – so benannt nach dem ehemaligen Hochaltar in der Schottenkirche, von dem sich 19 Tafeln im Stift selbst und 2 in der Österreichischen Galerie erhalten haben – kann man als den bedeutendsten Wiener Maler um 1470 bezeichnen. Die Außenseiten der Flügel zeigten in acht Bildern die Passion Christi. An Sonntagen, in geöffnetem Zustand, waren 16 Szenen (davon 13 erhalten) aus dem Marienleben zu sehen. Der Beginn der Arbeiten ist durch die Jahreszahl 1469 (s. Einzug in Jerusalem) gegeben. Die Innenseiten mit dem Marienzyklus, die stilistisch fortgeschrittener erscheinen, müssen in den 70er Jahren entstanden sein. Der Gesamtentwurf stammt sicher von einer einzigen Künstlerpersönlichkeit; bei der Ausführung ist jedoch Werkstattbeteiligung anzunehmen.
Der Einfluß der niederländischen Wirklichkeitsdarstellung, von der Mitte des 15. Jahrhunderts, machte sich in Wien relativ früh bemerkbar. Ihren liebevollen Detailrealismus zeigt auch der Meister des Schottenaltars. Die meisten Vorgänge spielen in einer Landschaft, die deutlich an die heimatliche erinnert, ohne daß bestimmte Gegenden oder Orte erkennbar wären. Auf zwei Tafeln des Marienzyklus gibt der Meister jedoch das getreue Abbild einer Stadt wieder. Die Heimsuchung findet in der Kärntnerstraße statt, die Flucht nach Ägypten zeigt im Hintergrund die Ansicht von Wien, die erste, die je geschaffen wurde. Die Stadt mit ihrer Fülle von Kirchen, aus denen der Stephansdom herausragt, ist von Süden, vom Vorort Wieden aus, gesehen. Dahinter erhebt sich die babenbergische Zinnenmauer, die das Zentrum umschließt. Im Vordergrund zieht die Heilige Familie ihres Weges. Hier hat der Meister voll lyrischer Erzählerfreude eine Fülle köstlicher, der Natur abgelauschter Details wiedergegeben, z.B. eine Stockrose, einen singenden Vogel und einen Brunnen mit kristallklarem Wasserstrahl.

Literatur: Franz Ottmann, Österreichische Malerei, Wien 1926. – Gotik in Österreich, Ausstellungskatalog, Krems 1960. – Lottlisa Behling, Entdekkungen des Wiener Schottenstiftmeisters auf dem Gebiet der Natur, in: Pantheon XXVII, München 1969.

85 Geburt Christi, Tiroler Meister, 1479, kolorierter Holzschnitt, 17,8 x 13 cm; an mehreren Stellen beschädigt und unterlegt. Innsbruck, Universitätsbibliothek.

Das Blatt, eine der ältesten Tiroler Druckgraphiken, kam 1809 mit zahlreichen Büchern aus dem Besitz des von den Bayern aufgehobenen Augustinerchorherrenstiftes Neustift bei Brixen an die Univeristätsbibliothek Innsbruck. Der Holzschnitt klebte am rückwärtigen Deckel eines Buches, das 1479 Nikolaus Jenson in Venedig gedruckt hatte, und wurde 1927 abgelöst. Dargestellt ist die Geburt Christi. Maria und Josef knien betend vor dem göttlichen Kind, neben ihnen stehen Ochs und Esel. Hinter dem Stall hütet ein Hirte seine Herde, am Horizont ist Bethlehem sichtbar. Der Künstler hat hier eine ganz bestimmte mittelalterliche Stadt mit Mauergürtel wiedergegeben. Die zahlreichen Türme ließen sich als die von Innsbruck identifizieren (Inntorturm, Tränktörlturm, Schatzturm, Saggenturm, Stadtturm). Der Holzschnitt zeigt die bisher älteste bekannte Ansicht der Stadt. Das Aussehen des Saggenturmes, vor seinem Umbau zum Wappenturm, ist hier das einzige Mal dargestellt. Auf Dürers Bild von Innsbruck aus dem Jahr 1495 war er bereits eingerüstet.

Literatur: Manfred Woditschka: Zur jüngst entdeckten ältesten Ansicht von Innsbruck, in: Biblos, Jg. 24, Heft 4, Wien 1975.

86 Verkündigungsengel (Detail) aus dem ehemaligen Hochaltar der St. Leonhardskirche in Tamsweg, salzburgisch, um 1462. Öltempera auf Lärchenholz, 165 x 140 cm (mit Rahmen).

Eine wichtige Rolle im salzburgischen Kunstleben des 15. Jahrhunderts spielten neben Konrad Laib einige Maler, die im Auftrag eines der kunstsinnigsten Erzbischöfe Salzburgs, des früheren Dompropstes Burkhard von

Weißbriach, Altäre schufen und auch für St. Leonhard in Tamsweg tätig waren. So wie dieser, vertraten sie die realistischen Bestrebungen der Jahrhundertmitte. In der Kunstliteratur werden sie zur »Weißbriach-Gruppe« zusammengefaßt. Namen sind nicht bekannt; die erhaltenen Malereien wurden mit Gabriel Häring in Verbindung gebracht, einem angesehenen Meister in Salzburg, sowie mit Paul Klingensteiner, doch sind dies nur Vermutungen.
Erhalten haben sich in der St. Leonhardskirche neun Tafeln, fünf sind die Überreste eines Leonhardaltars, vier mit Szenen aus dem Marienleben – Geburt Mariens, Verkündigung, Heimsuchung und Tod – gehören zum ehemaligen Hochaltar, den, wie Wappen bezeugen, der Salzburger Erzbischof Siegmund von Volkersdorf (1452–61) und der damalige Dompropst Burkhard von Weißbriach gestiftet hatten. Die Fertigstellung dürfte aber erst nach dem Tod des Erzbischofs, etwa um 1462 erfolgt sein, da dessen Wappen auf der Verkündigungstafel fehlt. Diese Datierung läßt sich auch durch stilkritische Vergleiche mit den Bildern des Leonhardaltars, die etwas früher entstanden, aber von den gleichen Mäzenen in Auftrag gegeben wurden, festigen.
Während O. Fischer die neun in St. Leonhard erhaltenen Tafeln zwei Meistern zuschreibt, wurden sie nach A. Stange von einem einzigen ausgeführt. H. Ramisch nimmt nur für die Bildhauerarbeiten eine Werkstätte an, für die malerische Ausstattung dagegen verschiedene Meister.
Der Maler der Marientafeln bemüht sich um eine realistische Wiedergabe der Umwelterscheinungen. Der Raumdarstellung entsprechend sind auch die Figuren stark plastisch herausgearbeitet, sie erinnern den Proportionen nach an Gestalten von Konrad Witz, dessen Werke dem Künstler vielleicht bekannt waren. Die Kopftypen mit leicht vorquellenden Augen zeigen feste, abgerundete Formen. In der Gewandbehandlung ist trotz eckiger Faltengebung noch das Nachwirken des weichen Stils spürbar. Mit viel Erfindungsgabe und Freude am Detail werden kostbare Stoffe dargestellt. Klare, schlichte Begrenzungsflächen kennzeichnen die Interieurs, in denen sich die Figuren bewegen. Die bei Verkündigungsdarstellungen allgemein übliche, schlichte Konfrontation des Engels mit Maria hat der Meister phantasievoll in eine figurenreiche Szene verwandelt. Die Jungfrau ist von dienenden Engeln umgeben, Gabriel erscheint gleich einem fürstlichen Boten mit reichem Gefolge. In der Hand hält er kein Spruchband, sondern eine mit Siegeln versehene Rolle. Brillant ist die Wiedergabe des Goldbrokats sowie der mit Perlen und Edelsteinen besetzen Borten vom Gewand des Himmelsboten. Gegenüber den Leonhardstafeln sind die Farben in den Marienbildern intensiver, bevorzugt werden hier ein reich abgestuftes Grün, Blau und leuchtendes Rot. Vom Flügelaltar blieben außer den Tafelbildern der Werktagsseiten auch Reliefs der Feiertagsseiten sowie Schreinplastiken und Maßwerkteile erhalten.

Literatur: O. Fischer, Die altdeutsche Malerei in Salzburg, Leipzig 1908. – Alfred Stange, Deutsche Malerei der Gotik, München–Berlin 1960. – Spätgotik in Salzburg, Die Malerei, Ausstellungskatalog, Salzburg 1972.

87 Rueland Frueauf d. J., Ausritt Leopolds III. zur Jagd, 1505, (Ausschnitt). Öltempera auf Holz, 76 x 39 cm. Klosterneuburg, Stiftsgalerie.

Die Gründungslegende von Stift Klosterneuburg erzählt folgendes: Als Markgraf Leopold III. d. Hl., der schon lange die Stiftung eines Klosters erwog, eines Tages mit seiner Gemahlin auf dem Söller seiner Burg stand, ergriff ein heftiger Windstoß den Schleier der hohen Frau und entführte ihn. Trotz intensiven Suchens blieb das kostbare Gewebe unauffindbar. Erst neun Jahre später spürten die Hunde den Schleier während einer Jagd in den Donauauen auf. Er hing so unversehrt an einem Holunderbaum, als wäre er eben erst verlorengegangen. Leopold deutete dies als Zeichen des Himmels und ließ an jener Stelle Klosterneuburg erbauen.
Rueland Frueauf d. J. schildert die Begebenheit in anmutigem Märchenton auf vier Flügelbildern für einen Leopoldsaltar (Ausritt zur Jagd, Sauhatz, Auffindung des Schleiers, Erbauung Klosterneuburgs). Die Datierung 1505 wurde erst kürzlich aufgedeckt.
Rueland Frueauf d. J., der Sohn des älteren Frueauf, wohl um 1470–75 geboren, lebte in Passau, wo er 1545 letztmals erwähnt wurde. Er arbeitete zunächst in der Werkstatt seines Vaters, hatte manches von diesem übernommen, z. B. die volkstümlichen Figurentypen, ging aber dann eigene Wege. Anregungen erhielt der junge Künstler von der Wiener Malerei, milderte jedoch deren nüchterne Sachlichkeit durch stimmungsvollen Gehalt.
In den Klosterneuburger Tafeln bricht Frueauf mit der Kunst des 15. Jahrhunderts und verhilft einer neuen Naturbetrachtung zum Sieg. Die Figuren sind kleiner geworden und dienen fast nur als Staffage der Landschaft, ihr kommt die Hauptrolle im Bild zu. Liebevoll ist hier das heimatliche Gelände wiedergegeben, die mit Gesträuch besetzten Kuppen des Wienerwaldes aus der Umgebung Klosterneuburgs.
Beim Ausritt zur Jagd trägt Leopold den österreichischen Erzherzogshut, seine Gemahlin Agnes eine Bügelkrone. Im Gespräch einander zugewandt, reiten sie mit ihrem Gefolge von der hoch gelegenen Burg herab ins Tal. Auf dem Halsband des vorauseilenden Hundes hat der Meister seine Initialen R.F. angebracht. Die Farbgebung ist äußerst zart, die Bildkomposition überaus frei. Das Verhältnis der Figuren zur Landschaft erinnert an die Buchmalerei vom Beginn des 15. Jahrhunderts, an die Monatsbilder des Herzogs von Berry. Frueauf muß dieses Werk oder zumindest eine niederländische Abwandlung gekannt haben. Er war mit den Klosterneuburger Tafeln einer der Wegbereiter der Donauschule, obgleich seine Landschaftsdarstellung nicht leidenschaftlich expressiv, sondern heiter romantisch ist.

Literatur: O. Benesch, Die Gemäldesammlung des stiftlichen Museums, in: W. Pauker, Katalog d. stiftlichen Kunstsammlungen I, Klosterneuburg 1937. – Karl Oettinger, Rueland Frueauf d. J. »Schleierlegende«, Berlin 1943. – Ludwig Baldass, Conrad Laib und die beiden Rueland Frueauf, Wien 1946. – Klosterneuburg – Zentrum der Gotik, Ausstellungskatalog, Klosterneuburg 1961.

88 Wolf Huber, Beweinung Christi, Mittelbild des St. Annen-Altares, 1521. Öl auf Fichtenholz, 1,73 x 1,09 m. Feldkirch, Stadtpfarrkirche.

Wolf Huber, neben Albrecht Altdorfer der bedeutendste Vertreter der Donauschule, wurde 1485 in Feldkirch geboren. Auf seiner Wanderschaft nach Passau, wo er sich spätestens 1515 niederließ, kam er sicher mit Jörg Kölderers Werkstatt in Innsbruck in Berührung, die damals im Auftrag Kaiser Maximilians I. viele Miniaturen auf Pergament anfertigte. Er dürfte auch Pachers Altarwerke in St. Wolfgang und Salzburg gekannt haben; das eigentliche Wesen Hubers berührten sie jedoch nicht. Es war vor allem die Gestaltung der Landschaft, die ihn interessierte und die er zu einem Ausdrucksmittel höchsten Ranges erhob.

1515 gab die St. Annen-Bruderschaft in Feldkirch den Annen-Altar in Auftrag. Der Schrein mit der plastischen Darstellung der Hl. Sippe konnte durch zwei Flügel geschlossen werden, die Szenen aus der Jugend Christi und dem Leben der hl. Anna zeigen. Zwei der Innentafeln sind mit WH signiert, die Jahreszahl 1521 gibt die Vollendung des Werkes an. Auf der Rückseite stellte Huber die Beweinung Christi dar. Auch hier hat er seine Signatur und die Jahreszahl 1521 angebracht. Dieses Bild ist unter den religiösen Werken des Meisters wohl das tiefstempfundene. Landschaft und Personen der Handlung bilden eine Einheit. Hubers Naturverbundenheit wird vor allem in der Landschaft deutlich, in der sich das Geschehen abspielt. Er hat hier auch den Zauber des Atmosphärischen festgehalten. Die leuchtenden Farben sind harmonisch dem malerischen Gesamtton eingebunden.

Von den dreißig erhaltenen Gemälden Hubers gehört ein Drittel dem Annen-Altar an. Den bedeutendsten Platz im Schaffen des Meisters nehmen die zahlreichen Landschaftszeichnungen ein, die, wie zeitgenössische Kopien zeigen, schon zu seinen Lebzeiten sehr geschätzt waren. Huber diente bis zu seinem Tod 1553 den Passauer Bischöfen als Hofmaler und Baumeister.

Literatur: E. Pöschel, Zum Feldkircher Altar des Wolf Huber, in: Österreichische Zeitschrift für Kunst- und Denkmalpflege V, Wien 1951. – E. Heinzle, Die neuaufgefundenen acht Bildtafeln von Wolf Huber, in: Das Münster VII, 1954. – A. Stange, Malerei der Donauschule, München 1964. – Erwin Heinzle, Wolf Huber und sein Kreis, in: Die Kunst der Donauschule, Ausstellungskatalog, Linz 1965.

89 Albrecht Altdorfer, Detail von der Kreuzigungstafel des Flügelaltares in St. Florian, 1509–1518. Fichtenholz, 112,2x94,5cm. Stift St. Florian.

Albrecht Altdorfer, der Hauptmeister der Donauschule, um 1480 geboren, wirkte hauptsächlich in Regensburg, wo er 1538 starb. Seine künstlerischen Anfänge liegen im Dunkeln; in Österreich dürfte er sich erstmals 1509 aufgehalten haben. Ob er bereits damals mit seinem größten Werk, dem Passionsaltar von St. Florian, begonnen hat oder erst um 1518, ist nicht eindeutig geklärt. Die zeitliche Begrenzung ist einerseits durch eine Weihnotiz von 1509 im Stiftsarchiv gegeben, andererseits durch die Jahreszahl 1518, die auf der Predellatafel steht. Wegen der plumpen Ausführung wurde ihre Herkunft von Altdorfer immer wieder angezweifelt. Möglicherweise hat man sie erst bei der endgültigen Aufstellung des Altarwerkes angebracht. Es gibt jedenfalls mehr Argumente für als gegen eine Frühdatierung. Die fortgeschrittenen Renaissanceinterieurs auf den Bildern der Sebastianslegende schienen bisher die späte Ansetzung zu bestätigen, doch konnte F. Winzinger nachweisen, daß Altdorfer hierfür einen Architekturstich Bramantes als Vorlage benützte. Dem Stil nach dürften zumindest die wichtigsten Tafeln noch vor 1515 gemalt worden sein, noch bevor Altdorfer in der Werkstatt Jörg Kölderers in Innsbruck im Auftrag Kaiser Maximilians I. tätig war, dort eine entscheidende Entwicklungsphase durchmachte und den Stil dieses Kunstkreises mitprägte.

Erhalten blieben vom Florianer Altar nur die vier gemalten Flügel, die Schreinplastiken gingen verloren. An den Außenseiten waren vier Szenen aus der Sebastianslegende dargestellt, nach Öffnen des ersten Flügelpaares sah man auf acht Tafeln die Passion Christi. Ihre Innenseiten hatten einst Reliefbilder unbekannten Inhalts. Der Predellaschrein konnte ebenfalls durch zwei bewegliche Flügel geschlossen werden. Der Altar muß mit dem Gesprenge ca. 8 Meter hoch gewesen sein.

Die Passionsdarstellungen bilden eine einheitliche Komposition. Der Künstler hat die einzelnen Szenen nicht lediglich aneinandergereiht, sondern symbolisch in den Tagesablauf eingebettet. Charakteristisch für die Bildtafeln sind leuchtende Farben, überlange, heftig bewegte Figuren, harte Realistik und Dramatik. Mit pathetisch erhobenen Händen kniet z. B. Magdalena unter dem Kreuz.

Literatur: F. Winizinger, Die Architekturbilder in Altdorfers Altar von St. Florian; in: Zeitschrift für Kunstwissenschaft IV, 1950. – Franz Winzinger, Der Altar von St. Florian, in: Die Kunst der Donauschule, Ausstellungskatalog, Linz 1965.

90 Jakob Seisenegger, Erherzogin Eleonore als Kind, 1536. Ölgemälde auf Lindenholz, 34x27cm. Innsbruck, Schloß Ambras.

Jakob Seisenegger, geboren 1505 in Niederösterreich, vermutlich in der Gegend von Amstetten, wurde 1531 Hofmaler Ferdinands I., des späteren Kaisers, und begleitete diesen auf zahlreichen Reisen. Er starb 1567 in Linz. Im Mittelpunkt seines Schaffens stand das Porträt; in höfischen Kreisen hatte er den Ruf des ersten Bildnismalers

seiner Zeit. Über 30 Jahre diente der Künstler dem Monarchen, der ihm in Anerkennung seiner Leistungen 1558 den Adelsbrief verlieh.
Die Malerei Seiseneggers wurzelt in der Donauschule, später setzte er sich mit den Werken Tizians auseinander. In der Wiedergabe des Stofflichen und glanzvoller Draperien folgt er dem italienischen Vorbild, in der Feinheit des Pinselstrichs sowie des Details und in der persönlichen Charakterisierung bleibt er durchaus ein der heimischen Tradition verhafteter Künstler.
Das Kleid der kleinen, zweijährigen Erzherzogin Eleonore, der Tochter Ferdinands I. und seiner Gemahlin Anna von Ungarn, ist routiniert gemalt, der Stoffcharakter deutlich wiedergegeben. In kräftigen Farbkonstrasten stehen schwarze Samtstreifen und rosa Seide nebeneinander; golden leuchtet der Stickereibesatz des fein gefältelten Hemdes und die Posamentierarbeit des Häubchens auf, von dem ein durchsichtiger Schleier herabfällt. Dieselbe Brillanz zeigt der Anhänger mit seinen bunten, durchscheinenden Steinen und glänzenden Perlen. Die feinen Züge des Gesichtes sind dagegen ganz persönliche Aussage des Künstlers.

Literatur: Kurt Löcher, Jakob Seisenegger, München–Berlin 1962. – Günther Heinz–Karl Schütz u. a., Porträtgalerie zur Geschichte Österreichs von 1400–1800. Führer durch das Kunsthistorische Museum Nr. 22, Wien 1976.

91 Zimburgis von Masovien und Margaretha von Burgund, vom Grabmal Kaiser Maximilians I., 1508–1585. Zimburgis: Hauptstück, Kopf und Hände aus Kupfer, Hut und linker Arm aus Bronze, Höhe 2,31 m. Margaretha: Bronze, Höhe 2,30 m. Innsbruck, Hofkirche.

Obwohl der ursprüngliche Plan nicht voll ausgeführt wurde, ist das Grabmal Maximilians dem Umfang nach das größte deutsche Kaisergrab. Laut Testament sollte es in der Burgkapelle in Wiener Neustadt zur Aufstellung gelangen, was sich jedoch technisch als unmöglich erwies. Als der Monarch 1519 starb, war von dem gigantischen Werk kaum ein Viertel vollendet. Die Arbeiten zogen sich noch Jahrzehnte hin, sie gelangten erst im Jahr 1585 zum Abschluß – mit der Montierung der knienden Kaiserfigur (Alexander und Abraham Colin) auf den Kenotaph. Als Aufstellungsort bestimmte Ferdinand I., der Enkel Maximilians, die Hofkirche zu Innsbruck (bestattet hatte man den Kaiser in Wiener Neustadt). In der Mitte steht die Tumba, geziert mit Plastiken der vier Kardinaltugenden (Alexander Colin) und 24 Albabasterreliefs (Alexander Colin, Bernhard und Arnold Abel), die wichtige Ereignisse aus dem Leben des Verstorbenen darstellen. Von den 40 geplanten überlebensgroßen Erzstatuen der Ahnen und Anverwandten, die das Grabmal umgeben sollten, sind nur 32 vollendet worden. Vier davon hat man wegen größerer Gußfehler ausgeschieden bzw. eingeschmolzen. Das Motiv des Trauerzuges, vorgebildet an französischen und burgundisch — niederländischen Fürstengräbern, dürfte sich hier durch die humanistische Bildung des Kaisers aus den römischen Totenfeierlichkeiten ableiten lassen.
Zu den Familienmitgliedern gesellen sich Statuetten von Habsburgerheiligen und Büsten römischer Kaiser. Sie stehen an der Rückwand der Empore und auf der Emporenbrüstung.
1508 wurde der Hofmaler Gilg Sesselschreiber aus München nach Innsbruck berufen, um die Arbeiten zu beginnen. Die erste Statue entstand in Zusammenarbeit mit Peter Löffler, einem erfahrenen Gießer; später hatte der Meister seine eigene Werkstatt in Mühlau. Bis 1517 konnten elf Standbilder nach Zeichnungen Gilg Sesselschreibers fertiggestellt werden, darunter die Großmutter des Kaisers, Zimburgis von Masovien (vollendet 1516). Der Körper einschließlich der rechten Hand besteht aus einem Gußstück, Kopf, Hut, linker Arm und linke Hand sind extra gegossen und angesetzt worden. In den geknickten Gewandfalten und im überreichen Schmuck ist noch die Spätgotik spürbar, doch entspricht die kraftvolle Erscheinung, die würdige Haltung bereits der Renaissance. Zwei Statuen (Artus, Theoderich) wurden nach Zeichnungen Albrecht Dürers 1513 in der Werkstatt Peter Vischers d. Ä. in Nürnberg gegossen. In der Gießerei Stefan Godls in Innsbruck-Mühlau entstanden zwischen 1518 und 1533 17 Figuren. Eine davon (Graf Albrecht IV.) fertigte Hans Leinberger nach einem Entwurf Dürers an. Für die übrigen stellte Leonhard Magt teils selbständig, teils nach Zeichnungen Gilg Sesselschreibers, Jörg Kölderers und Hans Polheimers die Modelle her. Bei Margaretha von Burgund, vollendet 1522, benützte er einen Entwurf Ulrich Tiefenbrunns, der sich aber an eine Skizze Gilg Sesselschreibers anlehnt. Die Statue ist in einem Stück gegossen. Die letzte Großbronze geht auf eine Zeichnung Christoph Ambergers zurück; den Guß führte 1550 Gregor Löffler in Hötting durch. Die Statuetten der Familienheiligen des Hauses Habsburg entstanden 1514–1520 ebenfalls in der Werkstatt Godls, die Kaiserbüsten 1509–1517 in Augsburg.

Literatur: Vinzenz Oberhammer, Die Bronzestandbilder des Maximiliangrabes in der Hofkirche zu Innsbruck, Innsbruck 1935. – Ders., Das Grabmal des Kaisers, in: Ausstellung Maximilian I. Innsbruck, Ausstellungskatalog, Innsbruck, 1969.

92 Tiroler Erzherzogshut, Innsbruck um 1600, Silber vergoldet, Höhe 28,5 cm, längerer Durchmesser 20,5 cm. Maria Stein, Schloßmuseum.

Der Hut, zu dem auch ein Szepter gehört, kam Anfang des 17. Jahrhunderts als Weihegabe in die Schloßkapelle von Maria Stein bei Wörgl und war dort, wie dies ein zeitgenössisches Gemälde überliefert, an der Statue der Gnadenmutter angebracht. Wer ihn stiftete, läßt sich nicht mehr eindeutig feststellen, auch nicht seine einstige Verwendung.

1603 erhielt Freiherr Carl von Schurff, der Testamentsvollstrecker Erzherzog Ferdinands II. und damaliger Besitzer von Maria Stein eine Wappenbesserung, durch die er Erzherzogshut und Szepter im Wappen führen durfte. An diese Tatsache knüpft Erich Eggs Theorie an, nach der die Insignien die des Erzherzogs Ferdinand II. gewesen wären, die sich Carl Schurff für seine Kapelle erbeten hätte. Die Wappenbesserung würde darauf Bezug nehmen.

Die Form des Hutes, ein zwölfzackiger Reif mit zwei Bügeln, ist durch Münzbilder für die Erzherzöge Ferdinand I. und Ferdinand II. belegt. Der einfachen Ausführung nach müßte das Maria Steiner Weihegeschenk einst der Gebrauchshut gewesen sein, den der Tiroler Regent z. B. bei Landtagen verwendete. In der 1610 von Carl Schurff verfaßten Geschichte Maria Steins, in der auch alle Stiftungen an die Gnadenmutter aufgezählt werden, sind die Insignien jedoch nicht angeführt. Das älteste Dokument, das sie erwähnt, ist ein Schreiben Erzherzog Maximilians III., des Deutschmeisters, aus dem Jahr 1613 an Carl Schurff, in dem er die Rücksendung von Hut und Szepter, welche ihm zur Ansicht geschickt worden waren, ankündigt. Die Insignien können demnach erst zwischen 1610 und 1613 nach Maria Stein gekommen sein. M. Mayer nimmt an, daß sie Maximilian stiftete, doch ist dies auf Grund seines Schreibens an Schurff, aus dem hervorgeht, daß er den Hut nicht genau kannte, äußerst zweifelhaft. Mit diesem Bericht läßt sich eher eine Verbindung zum berühmten, aus sehr kostbarem Material angefertigten niederösterreichischen Erzherzogshut herstellen, den der Tiroler Landesregent Maximilian III. 1616 anläßlich des Leopoldfestes für Klosterneuburg zum Schmuck des dort verwahrten Hauptes des Heiligen stiftete. Möglicherweise diente das Maria Steiner Exemplar als Modell. Über dem breiten, zwölfzackigen Reifen wölben sich zwei flache, mit Rosetten, Steinen und Silberperlen besetzte Bügel, auf deren Schnittpunkt ein globusförmiger Knauf sitzt, der ein reich verziertes Kreuz trägt. Ein Netz goldener Fäden schmückt die aus roter Seide gearbeitete Haube. Den Kronreif umzieht außen ein weißer, oben bogenförmig geschnittener Silberbrokat, auf dem, in Nachahmung von Hermelin, schwarze Stoffzungen appliziert sind.

Literatur: Matthias Mayer, Maria Stein im Unterinntal, 2. Teil, Going 1933. – Erich Egg, Der Tiroler Erzherzogshut, in: Der Schlern, 1961. – Gold und Silber, Kunstschätze aus Tirol, Ausstellungskatalog, Kat. Nr. 73, Innsbruck 1961.

93/94/95 Schloß Ambras bei Innsbruck

93 Wandmalereien im Innenhof des Wohnschlosses von Heinrich Teufel, 1567–68
94/95 Spanischer Saal, 1570–71

Auf der Suche nach einem geeigneten Wohnsitz für seine Familie fiel die Wahl des Tiroler Landesfürsten, Erzherzog Ferdinands II., auf Ambras, eine mittelalterliche Burg, die südlich von Innsbruck das Tal beherrschte. 1564–89 ließ er sie unter teilweiser Verwendung der alten Mauern renaissancemäßig umgestalten.

Der fünfeckige Bau schließt einen rechteckigen Innenhof ein, dessen Wände der Hofmaler Heinrich Teufel mit Grisaille-Malereien schmückte. In manieristischem Spiel zwischen Schein und Wirklichkeit täuschen sie architektonische Gliederungen vor. In den figürlichen Szenen sind Heiden- und Christentum miteinander verwoben; als Vorbilder dienten zum Teil Stiche des Virgil Solis.

Der Sockel ist durch Diamantquadermalerei belebt, Scheinarchitekturen – Nischen mit allegorischen Figuren und geöffnete Fenster, in denen Blumenvasen stehen, – füllen die Fensterzwischenräume. Die ringsumlaufenden Friesbänder enthalten Personifikationen der Tugenden und freien Künste, Bacchanalien, Jahreszeitendarstellungen, Helden und Heldinnen des Alten Testaments sowie Szenen aus der antiken Mythologie, z. B. den Sänger Orpheus, umgeben von wilden Tieren. Es gibt keine leere Fläche, die gesamte Wand ist zum Bild geworden.

Der Große oder Spanische Saal, für festliche Repräsentation, Musik und Tanz bestimmt, wurde unterhalb des Wohnschlosses 1570/71 nach genauen Angaben des Oberitalieners Giovanni Lucchese, der auch die Pläne lieferte, aus dem Burgfelsen herausgesprengt. Mit 43 Metern Länge und 10 Metern Breite war er der früheste monumentale Renaissancebau auf deutschem Boden. Die Westfassade erhielt der Saal erst im 19. Jahrhundert, vorher umschloß ihn der natürliche Fels.

Für die Innenausstattung hatte Ferdinand II. ein internationales Künstlerteam zur Verfügung. Die intarsierten Türen und die schwere Kassettendecke, das Glanzstück des Raumes, schuf der Haller Tischler Conrad Gottfried. Ihre 16 Felder bestimmen den Rythmus der Wände. Eine schmale Zone, die durch kreisrunde Fenster und gemalte Tondi gegliedert ist, vermittelt zwischen Hauptgesims und Decke. Die Stukkaturen stammen von flämischen Meistern, von Anthonis van Brackh und Andre de Clievere. 26, im 19. Jahrhundert stark erneuerte Bildnisse, die mit Rudolf von Habsburg beginnen und mit dem Porträt Ferdinands II. enden, weisen darauf hin, daß der Saal auch als Denkmal für die Tiroler Landesfürsten gedacht war. Ihre Zuschreibung an den Tizianschüler Pietro Rosa ist nicht allgemein anerkannt. E. Egg hält sie für Arbeiten des Niederländers Dionys van Hallaert, der die Grotesken in den Fensternischen und zwischen den Bildern malte. Sinnbildhafte Darstellungen begleiten in der Sockelzone die Ahnengalerie.

Um seine große und ständig wachsende Kunstsammlung würdig aufstellen zu können, ließ Ferdinand II. das Unterschloß erbauen. Antiquarium, Bibliothek, Rüst-, Kunst- und Wunderkammer waren – erstmalig für die Welt – auch der Öffentlichkeit zugänglich.

Literatur: Lilly Sauter, Ein Schloß in Tirol. – Ambras und seine Sammlungen, in: Du, Aprilheft, Zürich 1966.

96 Arkadenhof des Schlosses Porcia, 1533–1597, Spittal an der Drau.

1524 erwarb der Spanier Gabriel Salamanca, der Generalschatzmeister Ferdinands I., zahlreiche Besitzungen in Spittal a. d. Drau und wurde dort seßhaft. Zurückgekehrt von einer Reise, die er in diplomatischer Mission nach England und Spanien unternommen hatte, begann er 1533 mit dem Bau seines Stammschlosses, an dessen Ausstattung noch lange nach dem Tod des Auftraggebers weitergearbeitet wurde. Als das Geschlecht der Salamanca 1639 erlosch, erwarb den Besitz 1662 Fürst Johann Ferdinand von Porcia aus Friaul.
Die architektonische Gestaltung folgt Vorbildern aus dem Süden; der Salamancabau ist italienischer als alle anderen Renaissanceschlösser Österreichs. Er besticht vor allem durch seine Ausgewogenheit. Wie Untersuchungen ergaben (R. Rieger), scheinen drei Meister beschäftigt gewesen zu sein. Lombardische, toskanische und venezianische Einflüsse treffen hier aufeinander.
Der Bau erhebt sich auf quadratischem Grundriß. Die Straßenfront wird durch waagrechte Gesimsbänder und schlanke korinthische Pilaster gegliedert. Ein mächtiges Portal in der Mitte gibt den Hauptakzent. Von besonderer Schönheit ist der dreigeschossige Laubenhof mit seinen Arkaden. Er zeigt den heiteren Charakter der von Oberitalien aus übermittelten Frührenaissance. Die in die Ecken eingefügten Treppen mit steigenden Arkaden geben dem Hof eine besondere Note. Horizontale und Vertikale halten sich das Gleichgewicht. Die einzelnen Stockwerke entsprechen einander vollkommen. Stiegenhäuser und Gänge weisen reiche Verzierungen auf: Dekken und Gewölbezwickel sind mit Festons, Bandwerkgrotesken und Reliefdarstellungen aus der antiken Götterwelt geschmückt. Die Türumrahmungen zeigen in einer Fülle dekorativer Ornamentik allegorische Szenen. An den Zwickeln der Bogenreihen findet man Medaillons mit Imperatorenköpfen, Tierkreisbilder, antike Götter und Heroen. Die einzelnen Themenkreise haben keinen direkten Bezug zueinander.

Literatur: Renate Wagner-Rieger, Das Schloß zu Spittal a. d. Drau in Kärnten, Wien 1962. – Rupert Feuchtmüller, Kunst in Österreich, Bd. 2, Wien 1973.

97 Innenhof im Schloß Schallaburg bei Melk, 1573.

Erwähnt wird die Burg erstmals im 12. Jahrhundert. Der heutige Komplex setzt sich aus zwei zeitlich verschiedenen Baukörpern zusammen: der hochmittelalterlichen Burg mit der romanischen Kapelle und dem Renaissanceschloß, das unter Christoph und Hans Wilhelm von Losenstein im 16. Jahrhundert erbaut wurde. Das Prunkstück ist der große, trapezförmige Arkadenhof. Er steht für sich und besitzt in ganz Europa kein Gegenstück. Ostfront, Nordseite und ein Teil der Westwand sind in zweigeschossige Laubengänge mit reichem Terrakottenschmuck aufgelöst. Der geistige Vater des antikisierenden Bilddekors dürfte Wilhelm Losenstein, der Vollender des Renaissancebaues, gewesen sein. Tuskanische Säulen tragen die Erdgeschoßarkaden mit ihren stark betonten Keilsteinen. Jedem Bogen entspricht im oberen Stockwerk die doppelte Anzahl. Der plastische Terrakottendekor ist äußerst vielgestaltig. Konsolen und Keilsteine sind mit phantastischen Masken geschmückt; die kleinen Reliefs in den Rundnischen der Brüstungspilaster zeigen Szenen aus der Parabel vom Müller und Esel, aus dem Leben des Herkules, ferner David und Goliath sowie Musen und allegorische Figuren. Zum Teil lassen sich die Darstellungen auf Stiche deutscher Kleinmeister zurückführen, die italienische Vorbilder vermittelten und abwandelten. Die zierlichen Arkaden des Obergeschosses stützen sich auf männliche und weibliche Hermenpfeiler. In den Bogenzwikkeln sind die Wappen der Losensteiner angebracht sowie die des jeweiligen Ehepartners. Darüber zieht sich ein Fries mit Büsten in antikisierender Tracht hin, den Abschluß bilden zinnenartige Voluten. Das Bildprogramm, das Beziehungen zwischen der Familie des Besitzers und der Antike herstellt, ist typisch für die geistige Einstellung der Zeit. Die Dekoration nimmt nach oben zu immer reichere Formen an, der Bildschmuck dominiert über die architektonische Klarheit. Die Terrakotten sind an zwei Kapitellen mit 1573 datiert, am Stiegenaufgang in der Südostecke hat Jakob Bernecker, der führende Meister, seine Signatur angebracht. Woher er kam, ob vielleicht aus Salzburg, ist noch ungeklärt. Dasselbe gilt für die Lokalisierung der Terrakotten; an Ort und Stelle wurden sie kaum gebrannt. Es handelt sich um vorfabrizierte Bau- und Dekorationselemente, die nach einem künstlerischen Plan zusammengesetzt wurden. Anläßlich der Restaurierung des Schlosses konnte festgestellt werden, daß der Arkadengang in einer Art Gerüstbauweise errichtet wurde, bei der die auf- und aneinandergefügten Terrakottenteile selbsttragend sind. Er ist kein eigentlicher Bestandteil des dahinter liegenden Wohntraktes, sondern eine vorgeblendete Schauwand. Das Laubensystem folgt bestimmten Maßen: je zwei Bogen des oberen Stockwerkes entsprechen einem des Erdgeschosses. Die doppelte Höhe der unteren Arkaden ergibt die Gesamthöhe bis zum Gesims. Die Volutenbekrönung spricht dafür, daß ursprünglich nur der Wohntrakt mit einem Steildach abgedeckt war, der Arkadengang dagegen einen flachen Abschluß besessen hat.

Literatur: Rupert Feuchtmüller, Kunst in Österreich, Bd. 1, Wien 1972. – Renaissance in Österreich, Ausstellungskatalog, Wien 1974.

98 Österreichische Kaiserkrone, Prag 1602. Gold, Email, Diamanten in Tafelschliff, Rubine, Perlen, als Bekrönung ein großer Saphir. Höhe 28,6 cm. Wien, Kunsthistorisches Museum, Schatzkammer.

Die Krone ließ Kaiser Rudolf II., einer der bedeutendsten

Kunstsammler und Mäzene, der zahlreiche Gelehrte, unter ihnen den Astronomen Tycho de Brahe, und die großen Meister des Manierismus, wie z. B. Bartholomäus Spranger, Hans von Aachen, Arcimboldo und Adriaen de Vries um sich versammelte, 1602 in seiner Prager Hofwerkstätte anfertigen. Die ausführenden Künstler sind nicht bekannt, doch dürfte der Hauptmeister der Kammergoldschmied des Monarchen, Jan Vermeyen, gewesen sein. Die Krone hat die Form einer Mitra, dem äußerst kostbaren Material entspricht auch die hohe künstlerische Qualität. Figuraler Schmuck, Ornamentik und Emailzier zeugen von höchstem künstlerischem Können. Das Kleinod steht im Dienst einer bestimmten Aufgabe, es hat die Verherrlichung des Monarchen zum Inhalt. Weiße Emailbänder mit zarten Ornamenten fassen die beiden Mitrenflügel ein, die vier Goldreliefs enthalten. Eines preist Rudolf II. als Sieger über die Türken, die anderen stellen die drei Krönungen des Herrschers dar: die zum Römisch Deutschen Kaiser sowie die zum König von Ungarn und Böhmen. Reif, Zacken und Hochbügel sind mit einer Fülle von Perlen und Edelsteinen besetzt. Über dem Kronenkreuz strahlt ein riesiger Saphir bläuliches Licht aus. Verwendet wurde das Kleinod bei Krönungsfeierlichkeiten allerdings nie.

Literatur: Anton J. Walter, Kleinodien aus der Wiener Schatzkammer, Bern 1964. – Hermann Filliz, Die Schatzkammer in Wien, Wien 1964.

99 Moosgöttin vom Leopoldsbrunnen in Innsbruck, Caspar Gras, 1622–32. Bronzeguß, annähernd Lebensgröße.

Der Leopoldsbrunnen ist das Hauptwerk des um 1585 in oder bei Mergentheim geborenen Bronzebildners Caspar Gras, der durch Maximilian III., den Deutschmeister, an den Innsbrucker Hof kam. Dort fand er seine eigentlichen Lehrmeister: Hubert Gerhard und Alexander Colin. 1613 wurde der junge Künstler Hofbossierer; der Höhepunkt seines Schaffens fällt in die Regierungszeit Leopolds V. (1619–32), der 1622 den Brunnen in Auftrag gab. 1670 wurde Gras Erzkastner in Schwaz und soll dort 1674 gestorben sein.

Die Aufstellung des Brunnens in seiner heutigen, wenig ansprechenden Form erfolgte erst 1893. In der Mitte des an zwei Seiten korbbogenartig ausgeschwungenen, nahezu quadratischen Marmorbeckens, zu dem drei Stufen emporführen, erhebt sich ein hohes Postament, auf dem über vier von Putten getragenen Muscheln die Reiterstatue Leopolds V. steht. Neptun und Triton sitzen zu Füßen des Sockels, den Brunnenrand beleben Oceanus, Diana, Amphitrite und die sogenannte Moosgöttin, die mitunter auch als Leda bezeichnet wird. Die weiblichen, fast nackten Figuren bestechen durch Eleganz und Formenreichtum. Jedes kleinste Detail ist mit Liebe ausgeführt. In lässiger Haltung sitzt die »Moosgöttin« in der südöstlichen Ecke und hält einen flügelschlagenden Vogel (Kranich oder Schwan?) umfangen. In Anordnung und Stil folgt der Brunnen dem von Giovanni da Bologna geschaffenen Typus, den Hubert Gerhard in Deutschland einführte und der bis weit ins 18. Jahrhundert hinein unzählige Male abgewandelt wurde (z. B. Providentiabrunnen am Neuen Markt in Wien von Georg Raphael Donner). Die Vorbilder für die Beckenfiguren sind in Augsburg zu finden (Augustusbrunnen v. Hubert Gerhard, Herkulesbrunnen von Adriaen de Vries). Von dort übernahm Caspar Gras die Körperproportionen und die weiche zarte Behandlung der Oberfläche. Er gehört zu den Künstlern, deren Stil hauptsächlich von niederländischen und lokalen Einflüssen geformt wurde. Die Berührung mit dem italienischen Manierismus erfolgte auf Umwegen. Mit der den Brunnen bekrönenden Reiterstatue Leopolds V. schuf Caspar Gras das erste monumentale Reiterdenkmal, das ein Pferd in Levade zeigt.

Den Plan für den Burnnen erstellte laut urkundlichen Nachrichten der Innsbrucker Hofbaumeister Christoph Gumpp, aber erst nach 1633. Detailpläne müssen jedoch schon früher vorhanden gewesen sein. Leider ist Gumpps Entwurf, der bis 1742 noch auflag, in der Nachfolgezeit verlorengegangen, sodaß über das künstlerische Projekt nur Mutmaßungen angestellt werden können.

Als Erzherzog Leopold 1632 starb, waren bereits sämtliche Bronzeteile gegossen, aufgestellt konnten sie jedoch nicht werden, da noch keine konkreten Pläne vorlagen. Den Nachfolgern des Regenten fehlte das nötige Verständnis und auch die finanzielle Bereitschaft zur Vollendung des Monuments. Die Plastiken fanden Unterkunft im Hofgarten, mußten aber mehrmals den Standort wechseln, was dem Bronzematerial nicht gerade förderlich war. Eine große Muschelschale ließ man 1780 einschmelzen. 1890 reifte schließlich der Gedanke, die Figuren doch noch zu einem Monument zusammenzufügen. Das Modell hierfür schuf Johann Deininger in Anlehnung an Augsburger Brunnen; die Aufstellung erfolgte jedoch erst 1893, zum Nachteil der Gesamtwirkung unter Abänderung der Wasserführung und Figurenanordnung.

Literatur: Franz Caramelle, Caspar Gras, Diss. Innsbruck 1972.

100 Bartholomäus Steinle, Hochaltar der Stiftskirche Stams, 1609–13. Höhe ca. 15 m.

Kloster und Kirche des 13. Jahrhunderts wurden im 17. und 18. Jahrhundert allmählich barockisiert. Den letzten und entscheidenden Umbau des Gotteshauses führte 1729–32 Georg Anton Gumpp aus Innsbruck durch. Der Hochaltar, ein Werk von Bartholomäus Steinle (1605 in Weilheim ansässig, gest. 1628), einem Schüler Hans Deglers und so wie dieser nach Tirol berufen, ist der älteste in der Reihe der großen Altäre des 17. Jahrhunderts. Den architektonischen Rahmen, bestehend aus zwei mächtigen kannelierten Säulen mit einem Aufsatz und zierlichen Seitenbaldachinen, schuf der Tischlermeister Wolfgang

Kirchmayr in Anlehnung an den Hochaltar der Michaelskirche in München von 1590. Um ihn rankt sich das reichverzierte Astwerk eines Lebensbaumes, der links und rechts der Mensa aus Adam und Eva, den Stammeltern des Menschengeschlechts, emporwächst. In seinem weitverzweigten Geäst trägt er, gleichsam als edle Früchte, 84 Figuren von Heiligen und Propheten in hierarchischer Größenabstimmung. Im Zentrum steht die Madonna mit dem Kind, neben ihr die beiden Johannes. Im Aufsatz ist die Himmelfahrt der Mutter Christi dargestellt: Maria in einer Engelglorie schwebend, überhöht von der Hl. Dreifaltigkeit; unten stehen die Apostel vor dem leeren Grab. Die Spitze des Baumes zeigt Christus am Kreuz.
In der Gesamtkomposition sind noch gotische Tendenzen spürbar. Das emporwachsende Rankenwerk gleicht dem Gesprenge eines großen Flügelaltares.
Der bis zum Gewölbe reichende Stuckvorhang, den Putten raffen, stammt von Franz Xaver Feuchtmayr aus Wessobrunn. In Zusammenarbeit mit Josef Vischer aus Füssen schuf er auch die zierlichen Stukkaturen des Innenraumes, die zum Bedeutendsten gehören, was diesen beiden süddeutschen Hauptmeistern je gelang.

Literatur: Stift Stams, Kunstführer Nr. 289 von 1938, München–Zürich 1963. – Johanna Felmayr, Die Altäre des 17. Jahrhunderts in Nordtirol, Innsbruck 1967.

101 Meinrad Guggenbichler, Putten vom Corpus-Christi-Altar, 1682–1684. Fassung von M. Wichlhamber, lebensgroß. Mondsee, ehemalige Stiftskirche.

103 Meinrad Guggenbichler, Hl. Bernhard vom Heilig-Geist-Altar, 1679–81. Fassung von M. Wichlhamber, Größe 1,80 m. Mondsee, ehemalige Stiftskirche.

Unter den in Österreich tätigen Bildschnitzern des Barocks ist neben Thomas Schwanthaler der 1649 in Einsiedeln geborene Meinrad Guggenbichler die bedeutendste Persönlichkeit. Er dürfte vorerst bei seinem Vater, der das Handwerk eines Baumeisters und Steinplastikers ausübte, gelernt und sich anschließend in Italien umgesehen haben. Darauf deutet seine spätere künstlerische Vielseitigkeit hin und ein gewisser berninesker Zug. 1670 tauchte er in Oberösterreich auf. Bleibende Eindrücke scheint der junge Künstler von seinem 15 Jahre älteren Kollegen Thomas Schwanthaler empfangen zu haben. Um 1679 ließ sich Guggenbichler in Mondsee nieder und stand dort einer großen Bildhauerwerkstatt vor. Den Höhepunkt seines Schaffens erreichte er im ersten Jahrzehnt des 18. Jahrhunderts, nach 1714 sanken die Leistungen plötzlich ab; er starb 1723 in Mondsee.
Meinrad Guggenbichlers erste große Arbeit war der Hochaltar von Straßwalchen im Jahr 1675. Für die Stiftskirche Mondsee begann seine Tätigkeit 1679. Heilig-Geist- und Wolfgangsaltar sowie Corpus-Christi- und Fegefeueraltar zeigen den Frühstil des Meisters. Für den Altaraufbau ist nicht der architektonische Rahmen maßgebend, sondern die Plastik; sie bestimmt die Silhouette und nimmt den tektonischen Elementen die Strenge. Dies wird besonders am Corpus-Christi-Altar deutlich. Je vier lebensgroße, stehende Putten mit Weintrauben in den Händen stützen die sechs gewundenen Säulen, die das Gebälk tragen. Die Körperhaltung sowie die Bewegung der Arme und Köpfe werden in jeder dieser Gruppen meisterhaft variiert. Innig halten sich die Kinder, Rücken an Rücken, zu einem Reigen umfaßt. Der plastische Reichtum wird in den Füllungen der Sockel, in den Friesen des Gebälks und in den Kapitellen der Säulen fortgesetzt. Überall lugen geflügelte Engelsköpfe hervor.
Der hl. Bernhard vom Heilig-Geist-Altar ist eine eindringliche Charakterstudie. In Gedanken versunken steht er außerhalb der Säulen auf einer Laubwerkkonsole, sozusagen als Schreinwächter, seinem Gegenüber, dem hl. Benedikt, zugewandt.
Die frühen Werke Guggenbichlers offenbaren jugendlichen Überschwang, atmen Sinnlichkeit, geben aber auch die Regungen der Seele wieder. In den späteren Arbeiten tritt an die Stelle des Lyrismus das »große Pathos« (Hochaltäre in Irrsdorf, Michaelbeuern), die Plastiken der Reife, zwischen 1705 und 1709, sind trotz barocker Bewegtheit hoheitsvoll und gemessen (Kanzel und Rosenkranzaltar in St. Wolfgang). Guggenbichlers Altersstil wird durch schlanke, sehnige, zugleich aber stille und ausdrucksvolle Gestalten gekennzeichnet. Die Gewandung liegt dünn am Körper an, sie hat kein Eigenleben, sondern unterstreicht die Bewegung der Glieder (Sebastians-Altar in Mondsee).

Literatur: Heinrich Decker, Meinrad Guggenbichler, Wien 1949.

102 Thomas Schwanthaler, Christus mit Engel, Detail der Mittelgruppe vom Rieder Ölberg, um 1680. Holz, ehemals gefaßt, Höhe 1,70 m. Ried, Stadtpfarrkirche.

Die Familie der Schwanthaler, die durch mehr als zwei Jahrhunderte an ein und demselben Wohnort (Ried im Innkreis) fünf Generationen von Bildhauern hervorbrachte, wird urkundlich erstmal 1633 mit Hans Schwanthaler greifbar. Sein 1634 geborener ältester Sohn Thomas übernahm, kaum 22-jährig, nach dem Tod des Vaters die Werkstatt. Durch überragende Begabung konnte er mehr als nur lokale Bedeutung erringen. Er stellt den ersten Höhepunkt im Schaffen der Bildhauerfamilie dar und dürfte für sie der Hauptinventor gewesen sein. Manche seiner Schöpfungen tauchen in abgewandelter Form später bei Enkeln und Urenkeln auf. Die bedeutendsten Werke Thomas Schwanthalers entstanden zwischen 1675 und 1680 (Hochaltäre für Arnsdorf und Gmunden, Doppelaltar für St. Wolfgang, Benedikt- und Sippenaltar für Maria Plain). Aber bereits in seinen Erstlingsarbeiten geht der Meister eigene Wege, die auf einem eingehenden Studium der menschlichen Gestalt basieren und auf der Auseinandersetzung mit dem internationalen Kunstschaffen, vor

allem mit dem römischen Barock. Eine große Rolle als Vermittler des Ausdrucks spielt das Gewand. Charakteristisches Merkmal der Reifezeit ist der Wechsel zwischen eng anliegenden Partien, die den Körper durchscheinen lassen, und heftig bewegtem Faltenspiel. Die Ölberggruppe von Ried, eine der eindrucksvollsten ihrer Zeit, gehört nicht zu den gesicherten Werken des Meisters. Eine gewisse klassische Verhaltenheit verführte dazu, sie später anzusetzen. Sie wurde schon den verschiedensten Mitgliedern der Schwanthalerfamilie zugeschrieben, überragt aber an künstlerischer Qualität alles, was diese je geschaffen haben. Ein für Thomas urkundlich gesichertes Werk in Hohenzell, sein letztes bisher bekannt gewordenes, aus dem Jahre 1702 – er starb 1707 – wiederholt die Komposition der Rieder Ölberggruppe, sodaß deren Zuschreibung an den Meister wohl kaum in Zweifel gezogen werden kann. Der Faltenbehandlung nach muß sie in seiner besten Zeit, also um 1680, entstanden sein.
Die vollplastische Gruppe besteht aus vier Einzelstücken: dem zusammensinkenden Christus, der von einem Engel gestützt wird, und drei schlafenden Jüngern. Durch die Aufstellung an einem wenig geschützten Ort – in einem Vorbau der Pfarrkirche – erlitten die Figuren schwere Schäden; die farbige Fassung ging dabei verloren. Ihre spärlichen Reste wurden anläßlich einer Restaurierung entfernt. Im jetzigen Zustand kommt der Schnitzstil Thomas Schwanthalers voll zur Geltung, allerdings etwas verfremdet, denn die Farbe hatte der Meister von Anfang an eingeplant.

Literatur: H. Decker, Barockplastik in den Alpenländern, Wien 1943. – B. Thomas, Die Ölberggruppe von Ried, Salzburg 1949. – Waltrude Oberwalder, Die Schwanthaler der Barockzeit, in: Die Bildhauerfamilie Schwanthaler, Ausstellungskatalog, Linz 1974.

104 Karlskirche in Wien, erbaut 1716–39 von Johann Bernhard und Joseph Emanuel Fischer von Erlach.

Als im Jahre 1713 in Wien die Pest wütete, gelobte Kaiser Karl VI. zu Ehren seines Namensheiligen Karl Borromäus eine Kirche zu errichten. In einem Wettbewerb mit Lukas von Hildebrandt und Ferdinando Galli-Bibiena errang Johann Bernhard Fischer von Erlach den Sieg und begann 1716 den Bau, den er bis zu seinem Tod 1723 leitete. Vollendet wurde er mit geringen Änderungen, vor allem an der Kuppel, 1739 von seinem Sohn Joseph Emanuel. Die Kirche, auf frontale Fernsicht berechnet, lag damals noch außerhalb der Stadt und beherrschte bis zur Mitte des 19. Jahrhunderts das unverbaute Glacis.
Mit Fischers Werken übernahm Österreich weitgehend die Führung in der Gesamtentwicklung des deutschen Barocks.
Der einer Grazer Bildhauerfamilie entstammende Architekt erblickte 1656 das Licht der Welt. Nach Lehrjahren in Rom, die sein zukünftiges künstlerisches Schaffen bestimmten, ließ er sich in Wien nieder und wurde dort bald ein vielbeschäftigter Baumeister, der auch zahlreiche auswärtige Aufträge erhielt. In Salzburg z. B. hat Fischer durch seine Schöpfungen (Dreifaltigkeits-, Kollegien-, Ursulinenkirche) das nordische Ebenbild von Rom geschaffen. Nebenbei gab er König Josef von Ungarn Architekturunterricht, 1705 erhielt er den Titel »kaiserlicher Oberinspektor«.
Fischer, dessen Vorbild Francesco Borromini war, verstand es, ein Grundmotiv ständig zu neuen Formen zu wandeln. Als Hauptelement hierfür benützte er die Ellipse und versuchte, in seinen Raumschöpfungen Lang- und Zentralbau zu verschmelzen. Die Fassaden entfalten sich als plastisch bewegte, einander durchdringende Baukörper.
Die Karlskirche zeigt Fischers klassischen Spätstil, sie kann als sein sakrales Hauptwerk bezeichnet werden. Der Meister verbindet hier den Kuppelbau von St. Peter in Rom mit den Triumphsäulen und Tempelfronten der Antike; zum Teil stand auch die Architektur Konstantinopels Pate. Barockes Symboldenken beherrscht das ganze Bauwerk. Die Grundform ist ein Längsoval, das von einem griechischen Kreuz durchdrungen wird. Ein römischer Tempelportikus führt in die Kirchenvorhalle, deren Fassade konkav zurückschwingt. Hinter ihr wächst die längsovale Kuppel empor. Die beiden Säulen mit ihren Spiralreliefs, die Szenen aus dem Leben des hl. Karl Borromäus zeigen, inspirieren sich an der Trajans- und Marc-Aurelsäule in Rom. Zwei stadttorartig gestaltete Glockentürme bilden die seitliche Begrenzung der Fassade. An der plastischen und malerischen Ausschmückung waren hervorragende Künstler ihrer Zeit beteiligt: die Bildhauer Johann Christoph Mader, Johann Baptist Straub, Jakob Schletterer, Lorenzo Matielli, Giovanni Stanetti, die Maler Johann Michael Rottmayr, Daniel Gran, Martin Altomonte und der Stukkateur Albert Camesina.

Literatur: Hans Sedlmayr, Johann Bernhard Fischer von Erlach, Wien 1956. – Franz Eppel, Die Karlskirche in Wien (Christliche Kunststätten Österreichs, Nr. 20), Salzburg 1961.

105 St. Florian, Stiftsportal, vollendet 1713 nach dem Entwurf Jakob Prandtauers.

Der Legende nach wurde der römische Amtsvorsteher Florianus in Lauriacum (Enns) wegen seines christlichen Bekenntnisses mit einem Mühlstein um den Hals in die Enns geworfen und sein Leichnam nach wunderbarer Bergung auf dem Platz der heutigen Stiftskirche bestattet. Bei Grabungen kamen römische Mauerreste ans Tageslicht. Sie bezeugen die Kontinuität der Besiedlung. Bereits in karolingischer Zeit stand hier ein Kloster, das 1071 Bischof Altmann von Passau den regulierten Chorherren übergab. Die Kirche des 11. Jahrhunderts wurde nach einer Brandkatastrophe im Jahre 1235 durch einen gotischen Neubau ersetzt, ebenso die Klosteranlage. Die

Pracht des mittelalterlichen Komplexes war weithin berühmt. Die barocke Umgestaltung des Stiftes begann im ersten Drittel des 17. Jahrhunderts, unter Propst Leopold Zehetner. Seine Nachfolger führten das Begonnene bis ins 18. Jahrhundert hinein weiter. Für den Neubau der Kirche wurde 1686 Carlo Antonio Carlone, der bevorzugte Architekt der oberösterreichischen Klöster, verpflichtet. Von ihm stammt auch der Plan der Gesamtanlage. Nach seinem Tode (1708) übernahm der Tiroler Architekt Jakob Prandtauer (geb. 1660), der sich Zeit seines Lebens nur als einfacher Maurermeister bezeichnete, die Leitung. Nach Lehrjahren bei Hans Georg Asam in Schnann dürfte Prandtauer in den süddeutschen Raum gezogen sein und dort Bauten Kaspar Feichtmayrs und der Carlone kennengelernt haben. Auch Fischer von Erlachs Kunstschaffen ließ ihn nicht unbeeinflußt. 1689 lebte Prandtauer laut Nennung in einer Verlassenschaftsverhandlung als Bildhauer bei St. Pölten. 1701 trat er in den Dienst Abt Dietmayrs von Melk und wuchs dort zum führenden Klosterbaumeister Österreichs heran. 1726 starb er in St. Pölten. Prandtauers Stil wurzelt in der süddeutschen Kunst des 17. Jahrhunderts. Bahnbrechende Neuerungen brachte er nicht, verstand es aber meisterhaft, Architektur und Landschaft harmonisch miteinander zu verbinden. Seine Leistung lag in der plastischen Durchformung der einzelnen Bauglieder.

Als der Meister 1708 den Werksvertrag mit Stift St. Florian unterschrieb, verpflichtete er sich, jeden Sommer nach »Fleiß, Rat und bestem Vermögen« den vorhandenen Bau zu fördern. Den Plan Carlones änderte er allerdings mehrfach im Sinne seiner Zeit ab. Das trifft vor allem für das Stiegenhaus und den Westtrakt mit dem Eingangstor zu, während der Südflügel des Meisters eigenste Schöpfung ist. Der Ostflügel gelangte – etwas abgeändert – erst nach dem Tode Prandtauers zur Ausführung.

Der Westtrakt wurde 1715 fertiggestellt. Nur der Torturm und das reich gegliederte Stiftsportal unterbrechen die feierliche Monotonie der Fassade, die sich über die gesamte Länge des Klosters (214 m) erstreckt. Durch die Einfahrt fällt der Blick auf den Springbrunnen im Hof und das dahinter liegende Bibliotheksgebäude. Der Entwurf für das Portal, das die drei Geschosse des Baues zusammenfaßt, stammt von Prandtauer, wurde jedoch von Giovanni Battista Bianco, der die Fensterbedachung und Pilasterkapitelle meißelte, etwas abgeändert. Die Ausführung des Statuenschmuckes lag in den Händen des Bildhauers Leonhard Sattler, dessen Werkstätte sich seit 1711 in St. Florian nachweisen läßt. Kraftvoll bewegte Atlanten, Atlantenhermen und Personifikationen von Tugenden geben dem Portal, das 1713 vollendet wurde, den plastischen Akzent.

Literatur: Jakob Prandtauer und sein Kreis, Ausstellungskatalog, Melk 1960. – Rupert Feuchtmüller, Kunst in Österreich, Bd. 2, Wien 1973.

106/107 Stift Melk an der Donau, erbaut 1702–1736 nach Plänen von Jakob Prandtauer.
106 Bibliothek
107 Westfassade

Das Hochplateau, auf dem sich heute das palastartige Stiftsgebäude erhebt, war bereits in römischer Zeit besiedelt und Standort eines Wachturmes. Die erste urkundliche Nennung des Ortes – das »Medelike« des Nibelungenliedes – fällt in das Jahr 831. Auf dem Felsen über der Donau ließ sich 976 der Babenberger Leopold I. eine Pfalz bauen; 985 stiftete er hier ein Kanonikat von Weltgeistlichen, die unter Leopold II. 1089 durch Benediktiner aus Lambach abgelöst wurden. Als Leopold III. 1106 seine Residenz nach Klosterneuburg verlegte, begann die selbständige Geschichte des Stiftes, das im 14. Jahrhundert zur Klosterfestung ausgebaut wurde. Davon sind noch die Grundmauern der Südfront und zwei Türme an der Nordseite erhalten. Abt Berthold Dietmayr (1700–1739), einer der bedeutendsten Bauherrn des Barocks, begann 1702 mit der großzügigen Umgestaltung des Klosters im Zeitstil. Ihm zur Seite stand der geniale Architekt Jakob Prandtauer. Melk, das größte der niederösterreichischen Klöster, ist das einzige des Landes, dessen Konzept restlos verwirklicht wurde. Prandtauer gab hier dem Stiftsbau eine sinnbildliche, auf das Sacrum Imperium bezogene großartige Form, indem er Einzelteile wie Kirche, Palast und Konvent miteinander verschmolz. Allerdings konnte er die Vollendung seiner Schöpfung nicht mehr erleben. Bis zur Fertigstellung des Baues im Jahr 1736 stand Abt Dietmayr selbst den Arbeiten vor. 1738 beschädigte ein Brand beträchtliche Teile des Stiftes, vor allem die Türme; ihre Helme wurden von Prandtauers Schüler Josef Munggenast erneuert.

Die natürlichen Gegebenheiten sind bei der Planung der Melker Stiftsanlage meisterhaft ausgenützt – sie beherrscht ihre Umgebung weithin. Die einzelnen Trakte folgen einer durchgehenden Achse; ihrer Bedeutung nach ergibt sich eine bewußte künstlerische Steigerung zur Hauptansicht hin, die über der Donau als prächtige Schauwand aufsteigt. Repräsentativ in Erscheinung tritt nur die doppeltürmige Westfassade der Kirche. Sie bildet den rückwärtigen Abschluß einer großartig geschwungenen Terrassenanlage, die – seitlich von zwei vorspringenden Prunkbauten, dem Marmorsaal und der Bibliothek, begrenzt – den Blick in die Landschaft freigibt.

Die Wände des Bibliothekssaales, eines rechteckigen, durch zwei Stockwerke reichenden Prunkraumes, sind ringsum mit eingebauten Bücherregalen verkleidet. Ein auf Bügelkonsolen umlaufender Balkon macht diese im Obergeschoß zugänglich. Sie beherbergen die umfangreiche Büchersammlung des Stiftes, deren Miniaturhandschriften bis ins 12. Jahrhundert zurückreichen. Die Schränke stellen kein Mobiliar dar, sie gehören zur architektonischen Gestaltung des Raumes. In ihrem unteren

Teil werden sie durch eine Pilasterordnung gegliedert. Das Programm des Deckenfreskos, das 1731/32 von Paul Troger ausgeführt wurde, ist auf den Verwendungszweck des Saales abgestimmt. Allegorische Darstellungen der vier Fakultäten, der Wissenschaften, Künste und Kardinaltugenden umrahmen die Erscheinung der göttlichen Weisheit. Der Typus der Melker Bibliothek wirkte vorbildlich auf eine Reihe von Klosterbibliotheken, z. B. auf die von St. Florian und Seitenstetten.

Literatur: H. Hantsch, Jakob Prandtauer, 1960. – J. Prandtauer und sein Kunstkreis, Ausstellungskatalog Stift Melk, Wien 1960.

108 Josef Thaddäus Stammel, Die Hölle, 1760, Holz, Höhe 2,50 m. Admont, Stiftsbibliothek.

Das im 11. Jahrhundert gegründete Benediktinerstift, das Mönche aus St. Peter in Salzburg besiedelten, wurde im 17. und 18. Jahrhundert durchgreifend barockisiert. 1865 vernichtete ein Brand das ganze Kloster, nur die Bibliothek, die auch zahlreiche Handschriften aus dem Mittelalter enthält, konnte gerettet werden. Sie ist unter den zahlreichen Prunksälen gleicher Funktion, die in Österreich während der Barockzeit entstanden, zeitlich der letzte. Vier Künstler waren an der Ausgestaltung beteiligt: die Deckenfresken (Religion und Kirche schützen Künste und Wissenschaften) führte Bartholomäus Altomonte aus, die Ornament- und Architekturmalerei stammt von Johann Georg Dallinger, die Schnitzereien an den Bücherschränken schuf Veit Königer, den plastischen Schmuck Josef Thaddäus Stammel. Der 1695 in Graz geborene Bildhauer lernte bei seinem Vater und Jakob Schoy. Bereits in jungen Jahren kam er nach Admont, dessen Abt Antonius II. (1718–1751) ihm einen Studienaufenthalt in Italien ermöglichte; dort beeindruckten ihn vor allem die Schöpfungen Lorenzo Berninis. In die Heimat zurückgekehrt, arbeitete Stammel bis zu seinem Tod 1765 fast ausschließlich für das Stift und dessen Pfarren.

Stammel war, ähnlich wie Meinrad Guggenbichler vor ihm, ein Meister der Holzschnitzkunst. Unter den Skulpturen der Bibliothek sind die Figurengruppen im Mittelraum die bedeutendsten. Sie stellen die vier letzten Dinge dar: den Tod, das Gericht, die Hölle und den Himmel. Die Idee stammt von Abt Antonius II., Stammel hat sie mit überströmendem Phantasiereichtum und hohem künstlerischen Können in die Wirklichkeit umgesetzt.

Die eindrucksvollste Gruppe ist die Hölle, eine allegorische Darstellung der sieben Hauptsünden. Der Zorn, ein von Bernini inspirierter, äußerst bewegter Männerakt, reitet auf der Unzucht, einem Mischwesen, halb Mensch halb Tier, mit gehörntem Schweinskopf, herabhängenden Brüsten und Fledermausflügeln. Um diese beiden Hauptfiguren gruppieren sich die anderen Sünden, die durch Köpfe mit phantasievollem Beiwerk versinnbildlicht werden. Stammels Erfindungsreichtum kennt hier keine Grenzen. Die Unmäßigkeit ist z. B. mit Würsten und Schnapsflaschen ausgestattet, der Neid, ein fledermausartiges, fratzenhaftes, teufelähnliches Wesen, blickt, die Zunge herausstreckend, begehrlich auf den Geiz, um dessen Hals Dukatenketten hängen. Die Trägheit wird durch ein schlafendes Kind symbolisiert, die Hoffart durch eine Frauenbüste mit schönen, aber geistlosen Zügen; ein radschlagender Pfau, das Sinnbild der Eitelkeit, sitzt auf ihrem Kopf. Die Hölle ist als drachenartiges Ungeheuer gestaltet, aus dessen Rachen Flammen emporsteigen, die die beiden Hauptfiguren einhüllen.

Literatur: Adalbert Krause, Die Stiftsbibliothek in Admont, Kunst der Heimat, Reihe III, Kirchen und Klöster, Linz. – Thaddäus Stammel, Ausstellungskatalog, Graz 1965. – Peter Krenn, Zum Stil des steirischen Barockplastikers Josef Thaddäus Stammel (1695–1765) in: Alte und moderne Kunst, 11, Salzburg 1966.

109 Leonhard Sattler, Prunkbett im Prinz-Eugen-Zimmer, nach 1711. Stift St. Florian.

Leonhard Sattler, Steinbildhauer, Holz- und Elfenbeinschnitzer, stammt aus dem Allgäu. In St. Florian wurde er 1711 ansässig und gründete dort einen Bildhauerbetrieb, den – nach seinem 1744 erfolgten Tod – die beiden Söhne und die Witwe eines derselben bis 1792 weiterführten. Der Meister arbeitete vornehmlich für das Stift; überall, sei es am Außenbau oder im Inneren, lassen sich zahlreiche Werke seiner Hand nachweisen. Sattlers Schaffen, das eine volkstümliche Note zeigt, wurzelt im Kunstkreis Marian Rittingers, ordnet sich aber unter dem Einfluß Giovanni Giulianis dem Charakter städtischer Eleganz ein. Gemeinsam mit Stephan Jegg (1673–1749) arbeitete er an der Ausstattung der sogenannten Kaiserzimmer, einer Flucht von kostbar ausgestatten Räumen im Westflügel des Stiftes. Originellstes Werk Sattlers ist das Prunkbett im Prinz-Eugen-Zimmer, das seinen Namen einem Porträt des Feldherren verdankt, das einst hier hing. Die gesamte Dekoration bezieht sich auf die Türkenkriege. Romantische Wandmalereien (1707) von Felix Meyer, die 1713 Ferdinand Kien mit Staffagen aus dem Soldatenleben füllte, schmücken die Wände. Kriegerische Embleme zeigen die Stukkaturen; die Deckengemälde Johann Michael Feichtmayrs (1707) haben allegorische Darstellungen der Türkenkriege zum Inhalt. Auf die Kämpfe mit Österreichs Erbfeind spielt auch der plastische Schmuck des Ofens, vor allem aber der des Bettes an: aus den geschwungenen, reich mit Blattwerk versehenen Eckpfosten wachsen Halbfiguren – Landsknechte und gefangene Türken. Den Aufsatz in Form eines Volutengiebels bevölkern Putten, in ihrer Mitte erscheint der triumphierende österreichische Adler.

Literatur: Jakob Prandtauer und sein Kunstkreis, Ausstellungskatalog, Melk 1960.

110 Stift Dürnstein, Portal der Kirche von Matthias Steinl, 1725. *Turm* von Matthias Steinl und Josef Munggenast, 1733.

Die Glanzperiode des 1410 gegründeten Augustiner-Chorherrnstiftes fällt in die Zeit des Propstes Hieronymus Übelbacher (1710–40). Kirche und Kloster wurden damals von Josef Munggenast und Matthias Steinl, zum Teil nach Plänen Jakob Prandtauers, barock umgestaltet. Die Baumeister verstanden es meisterhaft, das beschränkte Terrain des von der Donau umflossenen Felsvorsprunges künstlerisch auszunützen. Kirche und Kloster bilden mit dem Turm eine architektonische Einheit. Matthias Steinl (1643 od. 44–1727) war ein ideenreicher Inventor, Josef Munggenast (1680–1741) der ausführende Praktiker. Der Anteil Prandtauers läßt sich nur stilistisch erschließen (Pilastergliederung der Trakte am Vorplatz).
Den Hauptakzent des Stiftshofes bildet das stark plastisch bewegt Portal, das zur Kirche führt und die gesamte Höhe des Klostertraktes einnimmt. Mit dem Turm verschmilzt es zu einer optischen Einheit. Die architektonische Gestaltung des Tores gleicht einem Barockaltar. Seitlich des Einganges stehen auf hohen Volutensockeln mit Reliefschmuck die vier Kirchenväter. Durch einen mächtigen Halbkreisbogen, der sich über dem geschwungenen Gesims der korinthischen Kolossalsäulen und -pilaster erhebt, wird eine Art Nische gebildet, in der auf dem diademartig vorspringenden Portalbogen der Salvator Mundi, der Retter der Welt, steht. Der schwungvolle, von Obelisken flankierte, reich mit Plastiken geschmückte Giebel leitet zum Turm über, der dahinter aufragt. Er führt das von Propst Übelbacher ersonnene christologische Programm des Kirchenportals weiter. Auf verkröpften Pilastern, die ähnlich wie der Torgiebel von reich verzierten Obelisken flankiert werden, sitzt der Turmhelm – ein Gebilde, das voll Dynamik in räumlichen Kurven ausschwingt. Sein figürlicher Schmuck, Statuen und Reliefs, stammt von Johann Schmidt, dem Vater des Malers Kremser Schmidt.
Munggenast, Bürger und Maurermeister in St. Pölten, ein Neffe Johann Prandtauers, hat in gemeinsamer Arbeit mit Matthias Steinl eine neue baukünstlerische Form gefunden, indem er die Errungenschaften seines Onkels ins Plastische steigerte.

Literatur: Bruno Grimschitz–Rupert Feuchtmüller–Wilhelm Mrazek, Barock in Österreich, Wien 1960.

111 Paul Troger, Harmonie zwischen Religion und Wissenschaft, Ausschnitt aus dem Deckenfresko im Marmorsaal des Stiftes Seitenstetten, 1735.

Paul Troger, 1698 als letzter Sohn des Schneiders und Mesners Andreas Troger in Zell (Gemeinde Welsberg) im Pustertal geboren, hat – ähnlich wie sein Landsmann Jakob Prandtauer auf architektonischem Gebiet – das volksmäßige Wesen des österreichischen Barocks in der Malerei zu höchster künstlerischer Vollendung gebracht. Wie dieser stand er nicht im Dienst des Hofes, sondern arbeitete für die Kirche. Die ersten Unterweisungen erhielt Troger bei einem Maler und Anstreicher in seiner Heimat, später verschaffte ihm der Fürsterzbischof von Gurk ein Stipendium für einen Studienaufenthalt in Italien (Venedig), der in die Jahre 1717–1721 fallen dürfte. Hier beeindruckten ihn vor allem Giovanni Battista Piazzetta, Sebastiano Ricci und Giovanni Battista Pittoni. Deren Einfluß macht sich in den Fresken bemerkbar, die auf Scheinarchitektur im Kuppelbild verzichten und den Hauptakzent auf die illusionistische Behandlung des atmosphärischen Raumes verlegen. 1723 scheint Troger wieder nach Italien gezogen zu sein, diesmal weiter in den Süden, nach Neapel. Hier war es Francesco Solimena, der mit den stark plastischen Figuren seiner Hell-Dunkelmalerei dem jungen Künstler entscheidende Anregungen gab. Ein Aufenthalt in Rom 1724 wurde zum Studium der Antike benützt, auf das die klassizistischen Tendenzen in den späteren Werken zurückzuführen sind. Während eines dreijährigen Aufenthalts in Bologna befaßte sich Troger mit perspektivischen Scheinarchitekturen, als Schüler und Mitarbeiter Giovanni Maria Crespis mit dessen tonigem Kolorit. 1728 kam der Künstler nach Wien. Seinen ersten großen Auftrag führte er im Stift Melk aus. Die Jahre zwischen 1730 und 1745 waren die fruchtbarsten; damals erreichte er den künstlerischen Höhepunkt und zeigte nun einen von Vorbildern und Zeitgenossen weitgehend unabhängigen Stil (Melk, Seitenstetten, Zwettl, Heiligenkreuz-Gutenbrunn, Altenburg, St. Pölten, Geras, Brixen, Göttweig, Preßburg).
Die letzten Lebensjahre des Meisters wurden durch seine Tätigkeit als Lehrer an der Wiener Akademie gekennzeichnet. Intensiv kümmerte er sich um seine Schüler. 1751 erhielt er eine Professur, 1754–57 war er Rektor, zog sich aber 1759 zurück. Troger starb 1762 in Wien.
Das Deckenfresko im Marmorsaal des Stiftes Seitenstetten entstand im Jahr 1735. Über einer gemalten, perspektivisch stark verkürzten Scheingalerie steigt die Himmelskuppel auf, in der die fruchtbare Begegnung von Religion und Wissenschaft stattfindet. Frei und leicht bewegen sich die Figuren in der lichterfüllten Atmosphäre. Die beiden Hauptgestalten, in trautem Gespräch einander zugewandt, nehmen, auf Wolken schwebend, die Mitte des Bildes ein. Allegorien der Tugenden und Wissenschaften umgeben sie. In der linken Ecke, von schwarzvioletten Wolken begleitet, stürzen die Laster in die Tiefe. Ein großer Engel, in leuchtendes Rot gehüllt, schwebt triumphierend über ihnen. Dasselbe Thema hat Troger einige Jahre später in Stift Altenburg behandelt. Die Albertina in Wien verwahrt eine Ideenskizze.

Literatur: Paul Troger, Ausstellungskatalog, Innsbruck 1962. – Wanda Aschenbrenner–Gregor Schweighofer, Paul Troger, Leben und Werk, Salzburg 1965.

112 Franz Anton Maulbertsch, Himmelfahrt Mariens, um 1754. Öl auf Leinwand, 77,5 x 43 cm. Salzburg Residenzgalerie.

Franz Anton Maulbertsch, der bedeutendste österreichische Barockmaler – 1724 in Langenargen am Bodensee geboren – erhielt die ersten Anregungen zur Malerei in der Werkstatt seines Vaters und nahm dort Elemente des bayrischen Rokoko in sich auf. Als 15-jähriger kam er an die Wiener Akademie, empfing dort entscheidende Eindrücke von Paul Troger, hat sich aber auch mit der Hell-Dunkel-Malerei Giovanni Battista Piazzettas auseinandergesetzt. 1750 erhielt der begabte junge Künstler einen ersten Preis im Malfach. Die Fresken der Wiener Piaristenkirche, die 1752/53 entstanden, zeigen ihn bereits auf der Höhe seines Schaffens. Licht und Farbe lösen das präzis erfaßte Einzelmotiv auf. Bedeutende Aufträge in Ungarn, Böhmen und Mähren folgten. Die konstrastreichsten Schöpfungen entstanden um 1760. 1759 wurde Maulbertsch ordentliches Mitglied der Akademie und erhielt 1770 den Titel eines akademischen Rates. 1796 starb der Künstler 72-jährig in Wien. Er gehörte zur letzten Generation der großen Maler des Spätbarocks und so sind in seinem Werk fast die gesamten Erkenntnisse der Arbeitsweisen seiner Vorgänger enthalten. Der Altersstil zeigt bereits eine leichte Hinwendung zum Klassizismus. Während sich Maulbertsch in den Fresken in rascher Abfolge immer wieder neuen künstlerischen Idealen zuwandte, hielt er in den Altarbildern an dem um 1750 entwickelten Stil lange fest.
Bei der Himmelfahrt Mariens in der Salzburger Residenzgalerie handelt es sich um die Skizze zu einem Altarbild, das der Künstler 1754 für die Kirche des Zisterzienserstiftes Circ in Westungarn malte. Sie zeigt ihn bereits als Meister von Farbe, Licht und Bewegung. Die Komposition ist von G. B. Piazzettas Altarblatt für die Deutschherrenkirche in Frankfurt-Sachsenhausen von 1735 beeinflußt. Maria, von Engeln umgeben, schwebt in einem hellen atmosphärischen Raum, die Erregung der zurückbleibenden Apostel findet in zuckenden Lichtern, die aus dem Dunkel aufblitzen, ihren Ausdruck.

Literatur: Franz Anton Maulbertsch, Ausstellungskatalog, Wien 1974.

113 Dreifaltigkeitskirche in Stadl-Paura, erbaut 1714–1724 von Johann Michael Prunner. Innenraum mit Gott-Vater-Altar.

Die Wallfahrtskirche zur Allerheiligsten Dreifaltigkeit verdankt ihre Entstehung einem Gelübde, das der Lambacher Abt Maximilian Pagl anläßlich des Wütens der Pest 1713 ablegte. Falls Lambach von der Seuche verschont bliebe, versprach er ein Gotteshaus zu errichten. Die Pest machte tatsächlich hier halt und so wurde 1714 mit dem Bau begonnen. Er ist das originellste und bedeutendste Werk des aus Linz stammenden Baumeisters Johann Michael Prunner (1669–1739). Dieser begann seine Tätigkeit mit einfachen Bauten in der oberösterreichischen Landeshauptstadt; das erste große Werk, das er schuf, ist die dortige Karmelitinnenkirche (1713–16), das monumentalste Gotteshaus die ehemalige Stiftskirche in Spital am Pyhrn. In Stadl-Paura ist der Gesamtentwurf bis ins kleinste Detail von der Dreizahl bestimmt, die den Trinitätsgedanken symbolisiert. Die architektonische Grundform, ein einfacher Kuppelraum, wird durch drei halbrunde Apsiden kleeblattförmig erweitert. Ihnen ist jeweils ein Turm vorgelagert, sodaß die verbindende, konkav und konvex schwingende Außenlinie von einem gleichseitigen Dreieck umschrieben werden kann. Zwischen den drei Türmen liegen drei Eingänge; die Laterne der Kuppel übernimmt ebenfalls diese Dreiteiligkeit.
Die Vorstufe für den Grundriß ist in Rom zu finden, in St. Ivo alla Sapienza von Francesco Borromini. Die Fassadenkomposition Prunners orientiert sich an der Peterskirche in Wien, die Lucas von Hildebrand vollendet hat.
Die Wände des Innenraumes sind durch Halbsäulen und Pilaster, die ein reich verkröpftes Gesims tragen, gegliedert. Auch hier bleibt die Dreiteiligkeit gewahrt: drei Türen, drei Orgelemporen, drei Altäre, von denen jeder einer der drei göttlichen Personen geweiht ist. Darüber schwebt die Kuppel, die ihrerseits die Einheit in der Dreiheit versinnbildlicht. Hier hat Carlo Carlone die Dreifaltigkeit, von Heiligen umgeben, dargestellt. Gold, bunter Marmor und Kunststein sowie reicher Freskenschmuck vereinen sich zu einer Farbsymphonie. Die Doppelpilaster der Apsiden gehen in gemalte Architekturen über, hinter denen, durch seitliche Fenster indirekt beleuchtet, die Altarbilder erscheinen, gemalt von Martin Altomonte (Gott-Vater-Altar), Carlo Carlone (Gott-Sohn-Altar) und Domenico Parodi (Heilig-Geist-Altar). Davor steht jeweils die Mensa mit einem figurenreichen Tabernakelaufbau aus Gold und Alabaster. Dargestellt sind Szenen des Alten und Neuen Testaments, Allegorien von Tugenden, Propheten und Engel. Die Komposition lehnt sich an den Ignatius-Altar Andrea Pozzos von Il Gesù in Rom an. Im Altargemälde am Gott-Vater-Altar kniet unterhalb der in den Wolken thronenden Dreifaltigkeit der Stifter mit dem Plan der Kirche, umgeben von seinen Klosterbrüdern.
An der Innenausstattung beteiligten sich neben den bereits genannten Malern noch weitere Künstler: Francesco Messenta (Scheinarchitekturen), Johann Georg und Franz Josef Ignaz Holzinger (Stukkaturen), Georg Doppler (Steinmetzarbeiten), Josef Matthias Götz (Plastiken), Johann Ignaz Egedacher (Orgeln).

Literatur: Walter Luger, Die Dreifaltigkeitskirche in Stadl-Paura, Linz. – Bruno Grimschitz, Johann Michael Prunner, Wien 1958.

114/115 Oberes Belvedere in Wien, 1721–1723 nach Plänen von Johann Lucas von Hildebrandt erbaut.
114 Sala terrena
115 Südfront

Die repräsentative Sommerresidenz des Prinzen Eugen von Savoyen setzt sich aus zwei Palastanlagen zusammen:

dem eigentlichen Wohnschloß, dem Unteren Belvedere, und dem nur für Feste bestimmten Lustbau auf der gegenüberliegenden Anhöhe. Ein terrassenförmig angelegter Park vermittelt zwischen beiden Komplexen, die jeweils die gesamte Breite des 1 km langen, sanft ansteigenden Terrains einnehmen. Das Gelände, ehemals ein Weinberggrund, wurde 1695 für den Prinzen angekauft. Der außerordentlichen Persönlichkeit des Auftraggebers stand, wie sehr oft im 18. Jahrhundert, ein genialer Architekt zur Verfügung. Lucas von Hildebrandt hat hier ein Meisterwerk geschaffen, das zu den höchsten Leistungen des österreichischen Barocks zählt. 1714–1716 entstand das Untere Belvedere. Nach dem ursprünglichen Plan sollte auf der Anhöhe lediglich eine Art Gloriette den schönen Blick – bel vedere – über Wien bieten. Im Laufe der Arbeiten kristallisierte sich jedoch der Entwurf heraus, demzufolge der obere Bau nicht als Abschluß, sondern als Mittel- und Höhepunkt der gesamten Anlage von 1721–1723 errichtet wurde. Da er nur der Repräsentation dienen sollte, konnte Hildebrandt hier nach rein künstlerischen Gesichtspunkten vorgehen und praktische Erwägungen beiseite lassen. Mittelrisalit, Seitenflügel und Ecktürme sind elegant miteinander verbunden; ihre Anordnung nimmt der Hof- und Gartenfassade jede Schwere. Stark in Erscheinung tritt das plastische Element. Auf Fernsicht berechnet ist die vielfache Gliederung der Dachsilhouette. Die Mitte der Südfront (Hoffront) wird von einer dreibogigen, ursprünglich nicht verglasten Torhalle mit geschweiftem Giebel beherrscht. Eine breite Treppe und seitliche Auffahrtsrampen führen ins Stiegenhaus. Zwei gelagerte Sphingen und zwei Rossebändigergruppen bilden den plastischen Schmuck dieses repräsentativen Eingangs. Alle figürlichen Darstellungen, seien es freistehende Skulpturen oder Schmuckreliefs am Baukörper, stehen in Beziehung zu Prinz Eugen, geben allegorische Hinweise auf ihn als überragenden Feldherrn.

Von der Gartenseite aus betritt man das Schloß durch die Sala terrena, einen reich stuckierten, ganz in Weiß gehaltenen Raum. Vier tiefgebeugte, muskulöse Atlanten tragen das Gewölbe. Dekor aus allerlei Kriegsgerät und Trophäen weist auch hier auf den Besitzer hin.

Nach dem Tod des Prinzen kamen beide Schlösser durch Verkauf in kaiserlichen Besitz. Ab 1783 beherbergte das Obere Belvedere die habsburgische Gemäldegalerie, die Josef II. der Öffentlichkeit zugänglich gemacht hatte. Im Unteren Belvedere gelangte die Ambraser Sammlung und die Antikensammlung zur Aufstellung. Die Exponate waren hier bis zu ihrer Übersiedlung ins neugebaute Kunsthistorische Museum (1892) untergebracht. Seit 1918 ist die gesamte Anlage wieder Museum, sie enthält die Sammlungen der Österreichischen Galerie.

Johann Lucas von Hildebrandt wurde 1668 in Genua als Sohn eines Feldhauptmanns geboren und lernte bei Carlo Fontana in Rom. Bald nachdem er sich in Wien niedergelassen hatte, wuchs er, in Konkurrenz mit Johann Bernhard Fischer von Erlach, zum tonangebenden Architekten der Stadt heran (Piaristenkirche, St. Peter, Palais Schönborn und Daun-Kinsky). 1701 wurde Hildebrandt kaiserlicher Hofingenieur. Während seiner Dienstzeit als Festungsbaumeister unter Prinz Eugen in Piemont lernte er ansteigendes Gelände durch Terrassen zu gestalten und setzte dieses Können bei seinen architektonischen Schöpfungen ein. Der Freiraum bedeutete für ihn sehr viel, Palast und Landschaft stehen miteinander in Verbindung. Hildebrandts Einstellung war eine grundsätzlich andere als die Fischer von Erlachs. Die entscheidenden Anregungen kamen bei ihm nicht aus Rom, sondern aus Oberitalien und Savoyen; sie sind im genuesischen Palastbau und in Guarino Guarinis Barock zu suchen. Von Frankreich übernahm er die Formen der Gesamtgruppierung sowie die Gliederung in einzelne Pavillons und Flügel. Hildebrandts Stilgefühl verlangte nach dem Leichten, Zarten; vorherrschend war eine gewisse Lust zur Dekoration. Feines Flächenornament und reicher plastischer Schmuck beleben seine energisch abgestuften Baukörper. Wohnlichkeit und festliche Pracht zeichnen die Paläste aus. Die Schöpfungen Hildebrandts in Würzburg und Pommersfelden hatten grundlegende Wirkungen auf das gesamtdeutsche Bauen. Der Architekt starb 1745 in Wien.

Literatur: Bruno Grimschitz, Lucas von Hildebrandt, 1959. – Hans und Gertrude Aurenhammer, Das Belvedere in Wien, Wien 1971.

116 Georg Raphael Donner, Die Traun. Randfigur vom Providentiabrunnen am Mehlmarkt (Neuer Markt) in Wien, 1739, Bleiguß, Höhe 1,67 m, Breite 2,12 m. Wien, Österr. Barockmuseum, Unteres Belvedere, Marmorsaal.

Georg Raphael Donner, der bedeutendste Bildhauer seiner Epoche, erhielt den Auftrag für den Providentiabrunnen vom Wiener Magistrat, nach einem Wettbewerb (1737) mit Lorenzo Matielli. Ursprünglich geplant war nur die Mittelgruppe, die Providentia (göttliche Vorsehung), die auf einem runden Sockel, den vier Putten umgeben, thront. Die Figuren des Beckenrandes, zwei männliche und zwei weibliche – Personifikationen der Flüsse Traun, Enns, Ybbs und March –, entstanden erst 1739. Die Modelle fertigte Donner in seiner Preßburger Werkstatt an, den Guß ließ er in Wien in der Technik der verlorenen Form durchführen. Als Material bevorzugte der Künstler Blei, ihm gehörte seine ganze Liebe.

Die Traun ist als fischstechender Jüngling dargestellt. Linkes Bein und linken Arm auf einen Fels stützend, beugt er sich über den Brunnenrand und späht in die Tiefe. Der Dreizack in seiner Rechten ging verloren. Die Bewegung ist auf Allansicht berechnet, die Meisterschaft der Komposition wird erst beim Umschreiten deutlich. In freien gelösten Stellungen bewegen sich auch die anderen Figuren. Die Enns lagert als bärtiger Fährmann am Beckenrand, die Ybbs als jugendliche Nymphe, die March als

Flußgöttin. Der Providentiabrunnen zeigt mit der kühlen Schönheit seiner Gestalten den für Donner charakteristischen Stil – edle Harmonie, in der die Heiterkeit des Rokokos und ein gewisser Protoklassizismus ineinander verschmelzen – deutlicher als seine anderen Schöpfungen. 1873 wurden die Bleiorginale wegen Witterungschäden entfernt und durch Bronzekopien ersetzt. Ein Stadtratsbeschluß im Jahr 1921 verfügte ihre Überstellung in das Untere Belvedere.
Georg Raphael Donner wurde 1693 in Eßlingen (Niederösterreich) geboren, ging zuerst bei dem Hofjuwelier J. K. Prenner in die Lehre, seit 1706 bei Giovanni Giuliani, der als Bildhauer in Heiligenkreuz wirkte. Vor 1715 muß er eine Italienreise unternommen haben. Anschließend war Donner in Wien tätig; 1725–28 stand er im Dienst des Salzburger Erzbischofs (Figuren für das Treppenhaus des Schlosses Mirabell). 1729 berief ihn Erzbischof Emmerich Esterházy-Galantha nach Preßburg (1732 Martinsgruppe für den Dom). Als Hofbildhauer hatte der Künstler dort eine große Werkstätte. Er starb 1741 in Wien. Knapp vor seinem Tode entstand die Beweinung Christi für den Gurker Dom.

Literatur: K. Blauensteiner, Georg Raphael Donner, Wien 1944.

117 Balthasar Permoser, Die Apotheose Prinz Eugens, (Detail), 1718–21, Carraramarmor, Höhe 2,30 m. Wien, Österreichisches Barockmuseum.

Balthasar Permoser, der 1651 in Alterfing bei Otting (Chiemgau) geboren wurde, lernte zunächst bei Meinrad Guggenbichler und Weissenkirchner d. Ä. in Salzburg, ging dann nach Wien zu A. Kracker und bildete sich anschließend 14 Jahre in Italien weiter. 1689 wurde er als Hofbildhauer des Kurfürsten Johann Georg III. nach Dresden berufen, wo er bis zu seinem Lebensende 1732 tätig war. Seine Kunst ist wichtigstes Verbindungsglied zwischen italienischer und deutscher Barockskulptur. Die höfischen Aufträge gipfeln in der Apotheose des Prinzen Eugen, die der Feldherr selbst bestellte. Permoser führte das Werk in Dresden aus, den Kopf meißelte er nach einem dorthin gesandten Bildnis. Zur Aufstellung gelangte die Gruppe, wie ein Stich von Salomon Kleiner aus dem Jahr 1736 bezeugt, im Offiziersspeisesaal des Oberen Belvedere. Später wurde sie als Gegenstück zu Georg Raphael Donners Apotheose Karls VI. in eine Nische des Atlantensaales übertragen. Permosers Schöpfung versinnbildlicht den Sieg und verherrlicht Prinz Eugen als Bezwinger der Türken. Ewiger Ruhm ist ihm als Lohn adeliger Tugend beschieden. Der Künstler hat den Feldherrn in voller Rüstung als Herkules dargestellt; darauf weist das Löwenfell hin sowie die Keule, die ein Putto trägt. Ein gewaltiger Bewegungsimpuls durchzieht die Komposition. Der Feldherr steigt auf dem Rücken des zusammengekauerten Neides zu lichten Höhen empor. Eine geflügelte Nike begleitet ihn und hält die Sonne als Ruhmessymbol neben sein Haupt. Die Fama stützt den linken Fuß und verkündet, die Posaune blasend, die Heldentaten des Prinzen, der abwehrend die Mündung des Musikinstrumentes zuhält. Permoser hat mit der Apotheose eine malerisch bewegte, tief den Raum ergreifende Plastik voll persönlicher Aussagekraft geschaffen.

Literatur: Das Barockmuseum im Unteren Belevedere, Katalog, Wien 1923. – Balthasar Permoser, Die Apotheose des Prinzen Eugen, Einführung v. A. Stix, 1946.

118 Franz Xaver Messerschmidt, Ein wollüstig abgehärmter Geck, nach 1770. Marmor, Höhe 41 cm. Wien, Österreichisches Barockmuseum.

Franz Xaver Messerschmidt gehört zu den führenden österreichischen Bildhauern des 18. Jahrhunderts. Geboren wurde er 1736 in Wiesensteig bei Geislingen (Württemberg). Vorerst lernte er bei seinem Onkel Johann Baptist Straub in München, ging dann nach Graz und später nach Wien zu Matthäus Donner. In der Donaumetropole war er schon früh ein gesuchter Porträtist und stand als solcher auch im Dienst des Kaiserhauses. Offizielle Anerkennung wurde Messerschmidt durch die Mitgliedschaft an der Akademie der bildenden Künste zuteil. Sein Hauptziel, einen Ruf als ordentlicher Professor zu erhalten, erreichte er jedoch nicht, da, als 1774 eine Stelle frei geworden war, sich einige Kollegen ihm gegenüber ablehnend verhielten, mit der Begründung, daß er »einige Verwirrung im Kopf hat wahrnehmen lassen« und »seltsame Grillen in der Einbildung hat«. Verbittert verließ der Künstler daraufhin Wien. Nach mehreren Jahren des Umherirrens erwarb er schließlich in Preßburg ein kleines Haus, in dem er 1783 als 47-jähriger in selbstgewählter Einsamkeit starb.
Messerschmidts Jugendwerke atmen noch den Zauber des Barocks, später, etwa mit Beginn der siebziger Jahre, wird zunehmend eine realistischere Tendenz fühlbar, vielleicht unter dem Eindruck französischer Porträtplastik. Die Konturen schärfen sich. Ab dieser Zeit begann auch die Maske des menschlichen Antlitzes die Phantasie des Bildhauers zu erregen. Künstlerisches Ergebnis intensiver physiognomisch-mimischer Studien vor dem Spiegel waren die sogenannten Charakterköpfe – 49 Büsten in Blei oder Stein, die eine Typenlehre menschlichen Seins und Verhaltens darstellen, – geschaffen als Selbstbefreiung von seelischer Not. Ihre Interpretation und heute noch übliche Benennung stammt nicht von Messerschmidt, sondern von einem anonymen Autor, als die Plastiken kurz nach dem Tode des Künstlers im Wiener Prater zum Verkauf ausgestellt waren.

Literatur: G. Weiss, Franz Xaver Messerschmidt, Diss. Wien 1924. – Maria Malikova, Die »Charakterköpfe« von Franz Xaver Messerschmidt, in: Du, Oktoberheft, Zürich 1971.

119 Vieux-Lacque-Zimmer in Schloß Schönbrunn, Wien, 1770.

Schönbrunn wurde auf einem weiten Gelände, das seit 1559 den Habsburgern gehörte, als großes Jagd- und Lustschloß von Kaiser Leopold I. für seinen Erbsohn, den späteren Kaiser Josef I., im Jahre 1695 zu bauen begonnen. Die Pläne lieferte Johann Bernhard Fischer von Erlach. Er entwarf zunächst 1692/93 ein Riesengebäude, das Versailles übertrumpfen und auf der Höhe der später erbauten Gloriette stehen sollte. Zur Ausführung gelangte ein zweites, einfacheres, aber immer noch überaus imposantes Projekt in der Ebene, das um 1713 im wesentlichen vollendet war. Da Josef I. das Schloß kaum bewohnte, geriet die Innenausstattung ins Stocken. Seine Witwe verkaufte Schönbrunn 1728 an ihren Schwager Karl VI., aber erst dessen Tochter Maria Theresia, die das Schloß zur Sommerresidenz wählte, ließ die Arbeiten weiterführen und die Zimmer im Geschmack des Rokokos einrichten. Als entwerfende Raumkünstler waren Nikolaus Pacassi, Isidor Cannevale und Thaddäus Karner tätig, unterstützt von zahlreichen Kunsthandwerkern. Für die Innenausschmückung arbeiteten auch bedeutende in- und ausländische Maler und Bildhauer. Maria Theresia bezog Gobelins aus den Niederlanden, Spiegel und Luster aus Italien, Uhren aus Paris, Teppiche aus Persien, Miniaturen aus Indien, Lackmalereien und Porzellan aus Ostasien.

Im sogenannten Vieux-Lacque-Zimmer sind die Wände in breitere und schmälere, von Goldrahmen eingefaßte Vertikalstreifen geteilt, die chinesische Lackbilder, Gold auf schwarzem Grund, enthalten. Die Hauptfelder zeigen reiche Landschaftsszenerien, die kleineren Vogel- und Blumenstücke. Eine von Festons und Zweigen eingefaßte Bordüre mit Medaillons umzieht die gewölbte Decke. In die Vertäfelung der Wand sind Ölbilder von Pompeo Batoni und Anton v. Maron eingelassen. Sie stellen Franz I. dar, der auf eine plastische Gruppe (Justitia, Clementia, Fortitudo) im Hintergrund hinweist, sowie die Familie des Großherzogs Leopold von Toskana und Josef II. mit Leopold II. Die reiche Ausstattung des Raumes wird durch ein kostbares Fußbodenmosaik aus verschiedenfarbigen Hölzern vervollständigt. Es zeigt eine geschwungene Mittelrosette und Quadratmuster mit Sternfüllung.

Literatur: Österreichische Kunsttopographie, Bd. 2, Die Denkmale der Stadt Wien, XI.–XXI. Bezirk, Wien 1908.

120 Helblinghaus in Innsbruck, spätgotisches Erkerhaus, um 1732 barockisiert.

Das Helblinghaus zählt durch seine überreiche spätbarocke Stuckdekoration zu den schönsten Bürgerhäusern im deutschen Sprachraum. Die schmale, hohe Form, die spitzbogigen Lauben im Erdgeschoß und das Grabendach verraten mittelalterlichen Ursprung. Im Innern hat sich neben der erneuerten Treppe noch der alte Lichtschacht erhalten. Reste des spätgotischen Fassadendekors, die 1932 bei Wiederherstellungsarbeiten am südlichen Erker ans Tageslicht kamen, wurden konserviert. Ein Feld zeigt in Reliefarbeit den Flügel eines Wappenhelms, das andere zierliches Blendmaßwerk; wahrscheinlich handelt es sich um Arbeiten aus der Türingschen Steinmetzwerkstätte. Das Haus wurde 1725 vom Haller Münzamtkassier Johann Fischer erworben, der es bald darauf einheitlich neu fassadieren ließ. Der Stil des Dekors weist in die dreißiger Jahre. Noch folgt der Stuck den Fensterumrahmungen, noch herrscht in der Ornamentik Symmetrie, doch ist das feste Gefüge bereits im Schwinden begriffen. Reicher Dekor aus Akanthuslaubwerk, Bändern, üppigen Blumensträußen und Fruchtgirlanden mit Muscheln, weiblichen Büsten und Masken überwuchert die gesprengten Fenstergiebel, sodaß kaum eine leere Wandfläche bleibt. Die Fülle und Bewegtheit nimmt nach oben hin zu. Ein elegant geschwungener Volutengiebel mit einer reich verzierten ovalen Luke bildet die Bekrönung.

Der plastische Schmuck überzieht nicht nur die Fassade, er ist in gleicher Art auch in der Erkerstube des 3. Stockes zu finden. Auf Grund großer Ähnlichkeit mit Stukkaturen im Innsbrucker Landhaus, die der aus Wessobrunn zugewanderte Anton Gigl und der Innsbrucker Andrä Gratl ausgeführt haben, wird der Dekor des Helblinghauses, wohl mit Recht, ebenfalls diesen beiden Meistern zugeschrieben.

Literatur: Heinrich Hammer, Das Helblinghaus in Innsbruck, in: Tirol–Vorarlberg, 5. Folge, Heft 1, Innsbruck 1941. – Ders., Kunstgeschichte der Stadt Innsbruck, Innsbruck 1952.

121 Bürgerhaus in Rust mit barocker Fassade, 17. Jahrhundert. Hauptstraße Nr. 3.

Die Altstadt von Rust wird aus den Häuserzeilen um den Rathausplatz und um die beiden Pfarrkirchen gebildet. Die Bauten gehen zum Teil bis in die Renaissancezeit zurück, doch hat man sie im 17. und 18. Jahrhundert dem damals herrschenden Zeitgeschmack angepaßt. Der gesamte Komplex, der sein ursprüngliches Aussehen nahezu unverändert erhalten hat, steht seit 1963 unter Denkmalschutz. In einer, 1970 spontan begonnenen Fassadenaktion, wurden die meisten Häuser außen restauriert. Im Denkmalpflegejahr 1975 erklärte der Europarat Rust zur Modellstadt. Neben eingeschossigen Häusern dörflichen Charakters stehen stattliche Bürgerhäuser mit zwei Stockwerken, Stuckdekor und verzierten Steinrahmen an Toren und Fenstern.

Ein mächtiges Portal mit geschweifter, reich profilierter Verdachung und Wappen bildet den Hauptakzent der fünfachsigen, mit Putzfeldern gezierten Fassade des Hauses Hauptstraße Nr. 3. Die Mitte wird im Obergeschoß ebenfalls betont, hier durch ein Doppelfenster. Ein Giebel mit dem Wappen, das der Familie Conrad Mitte des 17. Jahrhunderts verliehen wurde, schließt die reich dekorierte Umrahmung oben ab. Der Hoftrakt, der in die Spätrenaissance zurückreicht, hat beidseitig Stiegenaufgänge mit Arkaden.

Literatur: Alfred Schmeller, Das Burgenland, Salzburg 1965. – R. Heger–H. Milletich, Rust, Weinstadt am Neusiedler See, Rust 1975. – Dehio-Handbuch, Die Kunstdenkmäler Österreichs, Burgenland, Wien 1976.

122 *Schüssel aus einem Jagdservice,* Prozellanmanufaktur Wien, Du Paquier 1730–40. Durchmesser 49 cm. Wien, Österreichisches Museum für angewandte Kunst.

Trotz der strengen Maßnahmen, die in Meißen getroffen wurden, um das Geheimnis der Porzellanherstellung zu hüten, konnte bereits im Jahre 1718, noch zu Lebzeiten des Erfinders Johann Friedrich Böttger, der k. k. Hofkriegsagent Claudius Innocentius Du Paquier in Wien eine Konkurrenzmanufaktur gründen. Er veranlaßte den Meißner Emailleur und Vergolder Hunger sowie den Werkmeister Samuel Stölzel, der um das »Arcanum« wußte, zu desertieren und begann mit ihrer Hilfe die Produktion. Da der finanzielle Erfolg ausblieb, kehrte Stölzel enttäuscht wieder mach Meißen zurück, zerstörte vorher zahlreiche Modelle und nahm den in Wien beschäftigten Maler Johann Georg Hörold mit. Hunger entwich ebenfalls und gründete in Venedig die erste italienische Porzellanmanufaktur. Du Paquier konnte jedoch den Rückschlag überwinden und infolge seiner allmählich gesammelten Erfahrungen allein weiterarbeiten. Die frühen Erzeugnisse wurden in zeitgenössischen Berichten sehr gerühmt, die finanzielle Lage blieb aber weiterhin kritisch. 1744 ging die Manufaktur in kaiserlichen Besitz über; Du Paquier blieb jedoch bis zu seiner Pensionierung im Jahr 1751 weiterhin Direktor. Unter seiner Leitung stand die Plastik im Hintergrund, erzeugt wurden vor allem kostbare Geschirre, Galanteriewaren und Toilettegegenstände – bemalt mit »indianischen« Motiven, Chinoiserien und »teutschen« Blumen.
Ein charakteristischer Dekor, der die Du Paquier-Porzellane, die noch keine Markenzeichen besitzen, von Erzeugnissen anderer Manufakturen unterscheidet, ist das sogenannte Laub- und Bandelwerk, das meist die Ränder der Geschirre ziert. Die deutschen und französischen Stichvorlagen entnommenen Ornamentmotive sind in Schwarzlotmalerei mit Gold- und Silberhöhung oder bunten Farben ausgeführt. Im Fond erfreuen sich figürliche Szenen großer Beliebtheit. Besonders qualtiätsvolle Schwarzlotmalerei zeichnet ein für den kaiserlichen Hof bestimmtes Jagdservice aus, von dem sich 54 Teile erhalten haben. Tierkampfszenen und Hatzgruppen verschiedenster Art zieren den Spiegel von Schüsseln und Tellern; der Bandwerkdekor auf dem achteckigen, abwechselnd geraden und gewellten Rand ist mit Gold gehöht.

Literatur: Wilhelm Mrazek–Waltraud Neuwirth, Wiener Porzellan 1718–1864. – Österreichisches Museum für angewandte Kunst – Katalog, Neue Folge Nr. 3, Wien, Kat. Nr. 118.

123 *Gemüsehändlerin, Wiener Kaufruf,* Porzellanmanufaktur Wien, um 1760, Höhe 20,3 cm, unterglasurblauer Bindenschild, Bossiererzeichen R, Staffierernummer 30. Wien, Österreichisches Museum für angewandte Kunst.

Nach der Übernahme der Manufaktur Du Paquiers durch den Staat erhielt jedes dort erzeugte Stück ein Zeichen, um so das Wiener Porzellan vor Fälschungen zu schützen. Man wählte als Fabriksmarke das österreichische Landeswappen, den Bindenschild und preßte ihn vorerst mit einem Holzstempel ein; ab 1749 wurde er in Unterglasurblau aufgemalt. In dieser Zeit trat die plastische Produktion in den Vordergrund, wobei anfangs das Meißner Rokoko nachgeahmt wurde, später nahmen die Figuren jedoch »wienerische Züge« an. Lieblingsthemen der Porzellanmodelleure waren galante und satyrische Gruppen, Personen aus der italienischen Komödie, Gärtner-, Schäfer- und Jägervolk, Musikanten, Darstellungen von Kindern bei Tätigkeiten Erwachsener, Allegorien der vier Jahreszeiten und Händler, die ihre Waren anbieten, die sogenannten Wiener Kaufrufe.
Mit kaiserlicher Entschließung wurde 1864 die Manufaktur aufgelassen. Die heutige »Wiener Manufaktur im Augarten« ist eine Neugründung von 1922.

Literatur: Wilhelm Mrazek–Waltraud Neuwirth, Wiener Porzellan 1718–1864. – Österreichisches Museum für angewandte Kunst – Katalog, Neue Folge Nr. 3, Wien, Kat. Nr. 473.

124 *Fassadenmalerei von Josef Degenhart auf einem Bauernhaus in Holzgau,* Tirol. Ende 18. Jahrhundert.

Die Zentren der Fassadenmalerei des 18. Jahrhunderts waren Süddeutschland, die Schweiz und Tirol. Voll unerschöpflicher Erzählerfreunde wurden Szenen aus der antiken Mythologie, aus christlichen Legenden oder dem Alltag – oft gerahmt von phantasiereicher Illusionsarchitektur – mit flotten Pinselstrichen auf die glatten Wände gezaubert. Erhalten haben sich diese volkstümlichen Kunstwerke fast nur noch auf dem Lande, in Tirol insbesondere im Lechtal. Gerne benützte man Stichvorlagen, die sich am französischen Rokoko orientieren und die von umherziehenden Kupferstichhändlern verkauft wurden. Sie sind bis ins kleinste Dorf nachzuweisen. Die bedeutendsten Malereien in Tirol gehören der 2. Hälfte des 18. Jahrhunderts an. Bei reicher Fensterumrahmung wird meist ein beherrschendes Bild in die Mitte gesetzt, oder es werden Einzeldarstellungen – symmetrisch zur Mittelachse hin – gleichmäßig auf die Wand verteilt.
Die Hauptmeister der Fassadenmalerei im Lechtal waren Josef Degenhart und Josef Anton Köpfle. Typisch für die Malereien in dieser Landschaft sind zartfarbige, hellgrün oder rosa getönte Untergründe. Die einzelnen Künstler unterscheiden sich im Figurenstil, kaum aber in der Komposition.
Das Haus Nr. 48 in Holzgau bemalte Josef Degenhart um 1790. Die Langseite zeigt St. Georg im Kampf mit dem Drachen, die Giebelfront die Krönung Mariens, flankiert von Medaillons mit Heiligenfiguren. Charakteristisch für

Degenhart sind reiche Fensterumrahmungen, gemalte Säulen und Pilaster an den Hausecken sowie einzelne Personendarstellungen in Wolken, auf Postamenten oder in Rahmen. In den Figurentypen – sie erscheinen unverhältnismäßig gelängt – lassen sich Beziehungen zur Augsburger Fassadenmalerei feststellen, vor allem zu Johann Ev. Holzer. Dessen Marienkrönung in Augsburg hat der Meister am Holzgauer Haus getreu kopiert, vielleicht nach einem Stich von Joh. E. Nilson. Ausgeführt sind die Malereien nicht »al fresco«, sondern in Kalk-Kaseintechnik, wobei als Bindemittel für die Farben eine kolloidale Lösung von Kasein in Kalkwasser verwendet wird.

Literatur: Margarete Baur-Heinhold, Bemalte Fassaden, München 1975.

125 Zillertaler Bauernschrank, datiert 1824, 140 x 183 x 64 cm. Innsbruck, Tiroler Volkskunstmuseum.

Die Einrichtung der bäuerlichen Schlafkammer, bestehend aus Bett, Truhe und Kasten, bildet eine Einheit, die vor allem im künstlerischen Schmuck zum Ausdruck kommt. Plastischer und malerischer Dekor sind aufeinander abgestimmt. In der Art seiner Ausgestaltung machen sich stammesbedingte Eigenarten bemerkbar; im bayrischen Raum und dessen Einflußgebieten überwiegt die Malerei, im rätoromanischen Bereich die Schnitzerei. In der Abgeschiedenheit mancher Alpentäler haben sich eigene Talstile entwickelt, die nur bedingt dem jeweiligen Zeitgeschmack Rechnung tragen und die die einmal ausgebildeten Formen lange beibehalten.
Für Zillertaler Möbel ist eine starke Farbigkeit charakteristisch, die in der 2. Hälfte des 18. Jahrhunderts zunimmt; die Gliederung durch plastische Elemente tritt in dieser Zeit dagegen merklich zurück. Als Grundton herrscht Blau oder Grün vor. Die in hellen Farben gehaltenen Ziermotive – dem bayrischen Rokoko verpflichtet – werden bis weit ins 19. Jahrhundert beibehalten. Dies zeigt deutlich der abgebildete Schrank, doch hat der Maler auch typische Ornamentmotive des Klassizismus wie Lorbeerkranz und Akanthusblattfries mitverarbeitet.

Literatur: Franz Colleselli, Tiroler Bauernmöbel, Innsbruck 1968.

126 Arbeitszimmer im Geymüllerschlössl, Anfang 19. Jahrhundert. Wien-Pötzleinsdorf.

Das sogenannte Geymüllerschlössl, das sich Anfang des 19. Jahrhunderts der Wiener Bankier Johann Jakob Geymüller als sommerliches Landhaus errichten ließ, ist ein charakteristisches Beispiel Wiener Spätempirearchitektur und -einrichtung. Während im Grundriß noch barocke Motive nachklingen – z. B. dominiert der ovale Zentralraum –, zeigt das Äußere eine Mischung antikisierender, gotisierender, ägyptisierender und orientalisierender Formen, wie sie für eine bestimmte Phase des frühen 19. Jahrhunderts typisch ist. Schlanke Pfeiler tragen einen klassizistischen Architrav, die Halbsäulen werden von Kelchkapitellen bekrönt, die Fenster sind spitzbogig gestaltet. Ein moscheenartiger Raum erinnert an türkische Baukunst. Die Anordnung der Zimmer entspricht in den wesentlichen Teilen dem ursprünglichen Bestand.
Nach dem Zweiten Weltkrieg erwarb der spätere Generaldirektor der Österreichischen Staatsdruckerei, Dr. Franz Sobek, das schon ziemlich desolate Gebäude und ließ es von Grund auf restaurieren. Die Dekoration der Räume ist nicht mehr original erhalten, sie mußte erneuert werden, hält sich jedoch, soweit es möglich war, an den ursprünglichen Bestand, der unter modernen empirisierenden Malereien bei der Renovierung in Resten zutagegekommen war. Mit einer stilgemäßen Einrichtung erlesener Möbel, den dazugehörigen Bildern, Beleuchtungskörpern und einer kostbaren Sammlung Altwiener Uhren, die nicht als Schaustücke wie in einem Museum, sondern interieurmäßig aufgestellt sind, repräsentiert das Geymüllerschlössl ein bewohnbares Haus und ist ein Beispiel gehobener Wohnkultur des frühen 19. Jahrhunderts. 1965 übergab der Besitzer den Bau samt Ausstattung dem österreichischen Staat; heute ist er eine Außenstelle des Museums für angewandte Kunst.

Literatur: Österreichische Kunsttopographie, Die Denkmale der Stadt Wien, Bd. 2, (XI. – XXI. Bezirk), Wien 1908.

127 Joseph Anton Koch, Berner Oberland, 1817, Öl auf Leinwand, 134 x 101 cm. Innsbruck, Tiroler Landesmuseum.

Joseph Anton Koch, 1768 in Obergibeln bei Elbingenalp (Lechtal) geboren, war eine starke feurige Begabung, die dem eklektischen Akademismus seiner Lehrer mit entschiedener Ablehnung gegenüberstand. Dem Zwang der Karlsschule in Stuttgart entfloh er 1791, ging zunächst nach Straßburg, dann in die Schweiz. Auf seinen Wanderungen wurde ihm das Erlebnis der Alpenwelt zuteil, von dem er künstlerisch sein ganzes Leben zehrte. 1795 erhielt der junge Künstler ein Italienstipendium, das ihn über Florenz und Neapel nach Rom führte. Dort befaßte er sich unter dem Einfluß Jacob Asmus Carstens mit der menschlichen Gestalt, zeichnete eifrig nach antiken Vorbildern und besuchte den abendlichen Aktunterricht in einer Privatschule. Die Schönheiten Italiens erweckten wieder die alte Liebe zur Landschaftsgestaltung; sie wurde Kochs eigentliches Arbeitsgebiet, hier sind Klassizismus und Romantik miteinander verschmolzen. Er wandte sich energisch gegen das mechanische Abpinseln des Naturvorbildes, für ihn galt nur der als wahrer Künstler, der in seinen Bildern zu dichten verstand. Kochs poetische, oft heroische aber auch erzählend-intime Landschaften sind sinnvoll mit edlen Gestalten ausstaffiert. Vedutenhafte Treue wurde nicht angestrebt, sondern das Wesentliche einer Gegend zu erfassen versucht. Große figurale Kompositionen gibt es wenige. Koch verbrachte nahezu sein ganzes Leben in Rom und starb dort 1839.

Das »Berner Oberland« im Innsbrucker Museum, 1817 datiert, ist die dritte Fassung des Bildes. Das erste, 1815 entstandene Gemälde gleichen Inhalts,hängt in der Österreichischen Galerie in Wien, das zweite von 1816 in der Dresdner Gemäldegalerie, ein weiteres, ebenfalls 1817 gemaltes, befindet sich in Privatbesitz. Gegenüber den vorangegangenen Fassungen hat das Innsbrucker Bild, das Koch für Philipp Passavant malte, in Staffage und Mikrokosmos manche Bereicherung erfahren. Die Farben sind dunkler und satter, die Freude am Detail, die unklassizistische Neigung viel zu bringen, hat zugenommen. Der Durchblick auf die Mühle im rechten Abschnitt ist gelokkert, die Zahl der Staffagefiguren angestiegen.
Mit viel Liebe sind z.B. der Alphornbläser, der Obstpflücker oder die kämpfenden Böcklein dargestellt. Die Innsbrucker Fassung hat die Bezeichnung: J. Koch, Tyrolese in Roma.

Literatur: Otto Lutterotti, Joseph Anton Koch, Innsbruck 1944.

128 Friedrich von Amerling, Mädchenbildnis, um 1830. Öl auf Leinwand, 64x50,5 cm. Salzburg, Residenzgalerie.

Geboren wurde der Bildnis- und Genremaler Friedrich von Amerling 1803 in Wien. Von 1816–1824 besuchte er die Wiener Akademie, ging dann nach Prag und 1827 nach London zu Thomas Lawrence, dem bekanntesten Bildnismaler seiner Zeit, um sich bei ihm als Porträtist zu vervollkommnen. 1828 kehrte er über Paris, wo er kurze Zeit bei Horace Vernet arbeitete, nach Wien zurück. Später besuchte er Italien, Griechenland und den Vorderen Orient. In Wien hatte Heinrich Füger die malerische Tradition des 18. Jahrhunderts ins 19. Jahrhundert hinübergeführt. Amerling setzte dessen Stil fort, machte sich aber auch die glänzende Technik seines englischen Lehrmeisters und die des Franzosen Vernet zu eigen. Das Ergebnis der in London und Paris gesammelten Erfahrungen ist eine leuchtende, aber doch zarte Farbgebung mit hauchdünnen Lasuren. Seinen künstlerischen Höhepunkt erreichte Amerling in den Jahren zwischen 1830 und 1845. Neben Ferdinand Waldmüller war er der führende Maler der Altwiener Schule und der gesuchteste Porträtist der Wiener Gesellschaft.
Die große künstlerische Leistung Amerlings liegt jedoch nicht bei den repräsentativen Darstellungen von Persönlichkeiten des öffentlichen Lebens, sondern in bürgerlichen Bildnissen, wo er das Menschliche frei entfalten konnte. Sein malerischer Stil spiegelt Selbstbewußtsein und Intimität wider. Dies zeigt auch das Mädchenbildnis in der Salzburger Residenzgalerie, das der fruchtbarsten Schaffensperiode des Malers angehört. Neben der meisterhaften Erfassung des Charakters und der sinnlichen Schönheit der Farben besticht hier vor allem die Transparenz der Fleischtöne.
In Anerkennung seiner Leistungen wurde Friedrich Amerling in den Ritterstand erhoben und erhielt die Ehrenbürgerschaft der Stadt Wien. Der Künstler starb 1887 im Alter von 83 Jahren.

Literatur: Bruno Grimschitz, Die Altwiener Maler, Wien 1961.

129 Rudolf von Alt, Innsbruck, das Goldene Dachl, 1865, Aquarell, 27,4x38,1 cm. Wien, Albertina.

Rudolf von Alt, geboren 1812 in Wien als Sohn des Malers Jakob Alt, durchmaß infolge seines langen Lebens – er starb 1905 in Wien – nahezu die gesamte künstlerische Entwicklung des 19. Jahrhunderts. Er lernte zunächst im Atelier seines Vaters und wurde dort mit der Architektur- und Vedutenmalerei vertraut, die später fast ausschließlich sein künstlerisches Schaffen bestimmen sollte. 1826 kam er auf die Wiener Akademie, wo er einen ersten Preis errang und bald Aufträge erhielt. Ab 1828 unternahm er zahlreiche Reisen; sie führten ihn vor allem in die Alpenländer, aber auch nach Italien, Deutschland und auf die Krim.
Das malerische Werk Alts hat nicht nur künstlerische, sondern auch lokalgeschichtliche Bedeutung. Überall, wo er sich aufhielt, entstanden zahlreiche Bilder, vor allem in der von ihm bevorzugten und meisterlich beherrschten Aquarelltechnik: Landschaften, Städteveduten, Ansichten von Plätzen und Straßenzügen; aber auch einzelne interessante Details hielt sein Pinsel fest. Die besondere Liebe des Künstlers galt Wien, hier hat er nahezu alle baulichen Veränderungen im 19. Jahrhundert festgehalten. Alt war ein ausgezeichneter Techniker und entwickelte ein virtuoses Können. Neben einer nahezu fotografisch getreuen Wiedergabe steht jedoch die Farbe als Ausdrucksträger von Empfindungen. Manche der Bilder, vor allem Detailstudien wie das Goldene Dachl, geben stimmungsvolle Impressionen wieder.
Als schon weltbekannter Maler wurde Alt 1892 in den Ritterstand erhoben und zum Ehrenbürger von Wien ernannt.

Literatur: L. Münz, Rudolf von Alt, Wien 1954.

130 Gustav Klimt, Venezianisches Quattrocento und Griechische Antike, 1891. Zwickelbilder im Stiegenhaus des Kunsthistorischen Museums in Wien.

Gustav Klimt, der Hauptmeister des österreichischen Jugendstils, wurde 1862 als Sohn eines Graveurs und Goldschmieds in Baumgarten, einem später eingemeindeten Vorort von Wien, geboren. 1876–83 besuchte er die Kunstgewerbeschule und schloß sich 1882 mit seinem jüngeren Bruder Ernst und seinem Altersgenossen Franz Matsch zu gemeinsamer Arbeit zusammen. Im nachfolgenden Jahr bezogen die drei Maler ein eigenes Atelier und schufen im Stil ihres gemeinsamen Lehrers Ferdinand Laufenberger eine Reihe dekorativer Gemälde, darunter jene in den Treppenhäusern des Wiener Burgtheaters, die den besonderen Beifall Kaiser Franz Josefs fanden. Er verlieh dafür den jungen Künstlern das goldene Verdienst-

kreuz. 1891 erhielt das Atelier Klimt-Matsch den Auftrag, zwölf Zwickelbilder und Interkolumnien im Treppenhaus des neuerbauten Kunsthistorischen Museums in Wien, unterhalb der Lünetten Makarts, zu schaffen. Die Verteilung der Themen nach dem Motto »Die Entwicklung der Kunst in allen Zeitaltern« wurde durch das Los entschieden. Gustav Klimt fielen die Darstellungen Ägypten, griechische Antike, altitalienische Kunst, römisches, venezianisches und florentinisches Quattrocento sowie florentinisches Cinquecento zu. In diesen Bildern tritt erstmals des Künstlers eigenwillige Art zutage, die ihn von seinen Mitarbeitern unterscheidet. Er beginnt sich vom Historizismus, aus dem er hervorgegangen war, zu lösen. Trotz aller Naturnähe, trotz Schwelgens in Brokaten, Goldtönen und Geschmeiden, sind die Darstellungen nicht naturalistisch, sonder idealisiert und stilisiert. Klimt hatte hier eine schwierige Kompositionsaufgabe zu lösen, mußte das Typische im engen Raum der Bogenzwickel und Säulenzwischenräume zusammendrängen. Er historisiert nicht, seine Schöpfungen zeigen einen frei nachempfundenen und modern neuerfundenen malerischen Niederschlag vergangener Kunstepochen.
In den nachfolgenden Jahren rang sich der Maler zu einer eigenen Bildsprache durch und geriet damit sehr bald in Gegensatz zur traditionellen Wiener Künstlerschaft. 1897 gründete er mit Gleichgesinnten die »Sezession«, der er bis 1905 als Präsident vorstand.
Die Fakultätsbilder für die Wiener Universität (1900, 1901, 1903) waren der letzte öffentliche Auftrag, den der Künstler erhielt, doch kaufte der Staat die Arbeiten wegen ihres »anstößigen Inhalts« nicht an. Zur Meisterschaft seines einzigartigen, unverwechselbaren Stils gelangte Klimt, nachdem er 1905 der »Sezession« den Rücken zugekehrt hatte. In den zartfarbenen Kompositionen, meist symbolischer Bedeutung, sind figürliche und ornamentale Elemente zu raffiniert dekorativer Wirkung verbunden. In den Spätwerken gewinnt die Farbe an Bedeutung, das Ornament tritt in den Hintergrund. Gustav Klimt starb 1918 in Wien.

Literatur: Emil Pirchan, Gustav Klimt, Ein Künstler aus Wien, Wien 1956. – A. Strobl, Gustav Klimt, Salzburg 1962. – Wien um 1900, Ausstellungskatalog, Wien 1964. – F. Novotny – J. Dobai, Gustav Klimt, 1968.

131 Antonio Canova, Theseus im Kampf mit einem Zentauren, vor 1816. Marmor, Höhe 3,40 m, Breite 3,70 m. Wien Kunsthistorisches Museum, Haupttreppe.

Antonio Canova (1757 in Possagno, Provinz Treviso geboren, 1822 in Venedig gestorben), der bedeutendste Bildhauer des Klassizismus, von seinen Zeitgenossen als zweiter Phidias gepriesen, mit Ruhm und Ehren überhäuft, kam während der Regierungszeit von Kaiser Franz I. im Auftrag adeliger Mäzene – der Fürsten Liechtenstein, Esterházy und Rasumovsky – nach Wien und wurde hier ebenfalls sehr bewundert. Herzog Albert von Sachsen-Teschen, der Gründer der Albertina, gab bei ihm das Grabmal für seine Gattin Christine in Auftrag.
Die Theseusgruppe entstand im römischen Atelier des Künstlers. Sie besticht durch ihre technische Vollendung und zeigt, bis zu welchem Grad sich Canova die Formbehandlung der Antike zu eigen gemacht hatte, ist aber nicht frei von äußerlichem Pathos, das manchen seiner Werke anhaftet und hier nahezu in barocker Steigerung in Erscheinung tritt.
Kaiser Franz I. sah diese Gruppe, die einst Napoleon als Symbol seiner Siege in Auftrag gegeben hatte, im römischen Atelier Canovas, das eine Art Wallfahrtsstätte war, und erwarb sie für Wien. Als Aufstellungsort bestimmte er den Theseustempel im Volksgarten. Heute steht das Marmorwerk im Stiegenhaus des Kunsthistorischen Museums.

Literatur: Alfred Gotthold Meyer, Canova, Bielefeld-Leipzig 1898.

132 Hans Makart, Bildnis der Clothilde Beer (Cousine des Malers), um 1878. Öl auf Leinwand, 134,5 x 97 cm. Salzburg, Residenzgalerie.

Der 1840 in Salzburg geborene Künstler studierte ab 1858 an der Wiener Akademie bei Christian Ruben, der ihn jedoch bald als »gänzlich untalentiert« in seine Heimatstadt zurückschickte. 1859 ging Makart nach München zu Karl Theodor von Piloty, wo er bis 1865 eine hervorragende technische Ausbildung erhielt. Reisen nach England, Frankreich und Italien folgten. 1869 erhielt der Maler einen Ruf nach Wien, wo man ihm auf Staatskosten ein Atelier einrichtete. Nachdem er zu Ruhm und Ehren gelangt war, prägte er den Geschmack seiner Zeit, der »Belle époque«. Des Meisters Einfluß erstreckte sich auch auf Mode und Kunstgewerbe sowie auf die Ausstattung von Wohnräumen. Der »Makartstil« wurde weit über die Grenzen Österreichs hinaus zu einem festumrissenen Begriff. In neobarocker Malweise schuf der »Malerfürst« Wiens großformatige – von Paolo Veronese, Peter Paul Rubens und Anthonis van Dyck beeinflußte – farbprächtige Bilder historischen, mythologischen und allegorischen Inhalts, die vor allem durch ihre Sinnlichkeit bestechen.
Mehr Aussagekraft als diese stark dem äußerlichen Prunk verhafteten theatralisch effektvollen Riesengemälde haben die virtuos hingefegten Skizzen und die Bildnisse, in denen der Künstler neben der dem Zeitgeschmack entsprechenden Repräsentation auch auf die psychologische Charakterisierung des Dargestellten bedacht war.
1877 unternahm Makart eine Reise nach Belgien und Spanien. Die dort empfangenen Eindrücke dürften ihren Niederschlag im Porträt seiner Cousine gefunden haben. Die Gewandbehandlung z. B. erinnert stark an die Malweise von Velasquez. Mit kräftigen Pinselstrichen wird der Stoff charakterisiert. Der Dreiklang von Weiß, leuchtendem Rot und tiefem Schwarz kontrastiert eigenartig, aber doch voll Reiz zum blassen, äußerst fein gemalten

Gesicht, das vor dem dunklen Hintergrund steht.

Literatur: Emil Pirchan, Hans Makart, Leipzig-Wien 1942. – E. Köller, Makart und seine Zeit, in: Das Kunstwerk VIII, 1954, 2. Heft. – München 1869–1958. Aufbruch zur modernen Kunst, Ausstellungskatalog, München 1958.

133 Gustav Klimt, Bildnis Fritza Riedler, 1906. Öl auf Leinwand, 1,53 x 1,53 m. Wien, Österreichische Galerie des 19. und 20. Jahrhunderts.

Einen bevorzugten Platz in Gustav Klimts Schaffen nimmt das Frauenporträt ein. Er verstand es wie keiner seiner Zeitgenossen, die weibliche Schönheit im Bild festzuhalten. Gesicht und Hände, äußerst naturgetreu in zartesten Farben gemalt, sind von ornamentalem Dekor umgeben, der die persönliche Eigenart der Dargestellten unterstreicht. Gold und Silberauflagen geben den Gemälden eine zusätzlich extravagante Note.
Fritza Riedler, eine Dame der Wiener Gesellschaft, modisch elegant gekleidet, sitzt vornehm reserviert in einem Fauteuil, der an den rechten Bildrand gerückt ist. Ihrer gehobenen Stellung entsprechend breitet der Künstler eine Fülle üppiger Ornamentik um sie aus, die dem luxuriösen Raffinement des Zeitgeistes Rechnung trägt. Sie kontrastiert bewußt mit dem leichten, weich fließenden Kleid aus duftigem Stoff. Das Mosaikfeld im Hintergrund umrahmt das Gesicht der Dame wie ein kostbarer Kopfschmuck.

Literatur: Emil Pirchan, Gustav Klimt, Ein Künstler aus Wien, Wien 1956. – A. Strobl, Gustav Klimt, Salzburg 1962. – Wien um 1900, Ausstellungskatalog, Wien 1964. – F. Novotny – J. Dobai, Gustav Klimt, 1968.

134 Othmar Schimkowitz, Genien-Figur an der Postsparkasse in Wien, 1904–1906. Aluminium, doppelte Lebensgröße.

Das Postsparkassenamt, das 1904–06 errichtet und 1912 erweitert wurde, gilt heute als Paradestück der beginnenden modernen Architektur. Der Entwurf Otto Wagners siegte 1903 über eine Reihe historisierender und sezessionierender Projekte. Bei diesem Gebäude, das ähnlich wie die Kirche am Steinhof mit genieteten Marmorplatten verkleidet ist, herrscht die neue Sachlichkeit vor, speziell in den Innenräumen. Aluminium verdrängte hier überall die herkömmlichen Baustoffe. Wagner verwendete dieses Material für Geländer, Warmluftauslässe, Lüftungsgitter, zur Verkleidung konstruktiver Teile sowie für den dekorativen Schmuck. Aus Aluminium sind die Köpfe der Fassadennägel, der Ornamentschmuck und die Eckakrotere.
Die krönenden Figuren des Mittelrisalits schuf Othmar Schimkowitz. Die in ein gräzisierendes Gewand gehüllten Frauengestalten halten in ihren ausgebreiteten Händen Lorbeerkränze. Ihre Flügel sind mit Nieten an einem massiven Aufbau befestigt und schließen miteinander einen Winkel von 90 Grad ein. Obwohl sich die Figuren dem Stil des Gebäudes unterordnen, erregen sie die Aufmerksamkeit des Betrachters, halten sie fest, lenken seinen Blick aber auch weiter zu den anderen Bauteilen.
Othmar Schimkowitz, 1864 in Tárts geboren, war so wie Wagner ein Schüler der Wiener Akademie. 1892/95 arbeitete er in New York im Atelier Karl Bitters an Kolossalplastiken für die Welstausstellung in Chicago. 1895 bezog er ein eigenes Atelier in Wien, wurde 1898 Mitglied der Wiener Sezession und war 1929–30 ihr Präsident. Er starb 1946 in Graz.

Literatur: 8 Jahre Sezession, Wien, 1906. – Thieme – Becker, Künstlerlexikon, Bd. XXX, Art.:Othmar Schimkowitz, Leipzig 1936. – Heinz Geretsegger – Max Peintner – Walter Pichler, Otto Wagner 1841–1918, Salzburg 1964.

135 Otto Wagner, Kirche am Steinhof in Wien, 1904–07.

Otto Wagner wurde 1841 in Penzing, einem damals noch ländlichen Vorort Wiens, geboren. Mit 16 Jahren kam er an das Polytechnische Institut, ging dann nach Berlin an die Bauakademie, setzte 1861–63 seine Studien an der Wiener Akademie fort und war ab 1864 als selbständiger Architekt tätig. Nach dem Tod Karl von Hasenauers wurde Wagner 1894 durch »Allerhöchste Entschließung« zum ordentlichen Professor und zum Leiter einer Spezialschule für Architektur ernannt. Er starb 1918 in Wien.
Die frühesten Bauten Otto Wagners zeigen noch Anklänge an den Historismus, um das Jahr 1893 ist in seinem Schaffen jedoch ein prinzipieller Umschwung festzustellen. Mit den Stadtbahnstationen, der Kuppelkirche am Steinhof, den Villen und Mietshäusern in Wien huldigt er dem Jugendstil; 1906 wendet er sich einer neuen Sachlichkeit zu, in der geschlossene, klar gegliederte Blöcke vorherrschen.
Die Kirche am Steinhof liegt auf dem höchsten Punkt einer gestaffelten Anlage für Nerven- und Geisteskranke, die über 60 Bauten umfaßt und ebenfalls von Wagner entworfen wurde. Das Gotteshaus, für »ruhige« Kranke bestimmt, ist so gebaut, daß im Notfall Wärter leicht eingreifen können. Doch erleidet die Kirche trotz Rücksichtnahme auf ihre besondere Widmung keinerlei Einbuße.
Die beiden Weihwasserbehälter an den Eingängen haben z. B. die Form von Brunnen, sodaß man nicht in das Bekken greifen braucht, sondern die Hand unter einen dünnen, während des Kirchenbesuches laufenden Wasserstrahl hält, wodurch Infektionen vermieden werden sollen.
Das eigenwillige Bauwerk setzt sich aus kubischen Raumteilen zusammen, die von einer mächtigen, ehemals vergoldeten Kuppel bekrönt werden. Außen ist das Mauerwerk mit Marmorplatten verkleidet, die durch Kupferbolzen befestigt sind. Unter dem Dachvorsprung umzieht ein Fries aus Kreuz- und Lorbeerkranzmotiven den Bau. Die niedrigen Fassadentürme dienen als Sockel für die beiden thronenden Landesheiligen, St. Leopold und St. Severin, die Richard Luksch ausführte. Die den Ein-

gang gliedernden Säulen sind ebenfalls Podeste; auf ihnen stehen vier Engelsfiguren von Othmar Schimkowitz. Kreuz und Lorbeerkranz, die Zierelemente des Frieses, schmücken auch die schlanken Stützen des Vordachs. Alles sichtbare Metall im Freien ist Kupfer, selbst die eisernen Fensterkonstruktionen sind damit beschlagen.
Der ebenfalls von Otto Wagner gestaltete Innenraum mit seiner völlig einheitlichen Jugendstilausstattung erhält durch die Glasfenster Kolo Mosers sehr viel Licht. Die Altarmosaiken aus Marmor verschiedener Oberflächenbeschaffenheit, Keramik, Email und Glas schufen Remigius Geyling und Rudolf Jettmar.

Literatur: Heinz Geretsegger – Max Peintner – Walter Pichler, Otto Wagner 1841–1918, Salzburg 1964.

136 Egon Schiele, Frau mit zwei Kindern, 1917, Öl auf Leinwand, 150x158,7cm. Österreichische Galerie des 19. und 20. Jahrhunderts.

Egon Schiele, 1890 in Tulln geboren, wurde 1906 Schüler von Christian Griepenkerl an der Wiener Akademie, verließ diese jedoch nach drei Jahren und gründete 1909 mit Freunden, unter denen sich Anton Faistauer, Paris Gütersloh, Anton Peschka und Franz Wiegele befanden, die »Neukunstgruppe«. Entscheidend für die weitere Entwicklung des Künstlers war seine Begegnung mit Gustav Klimt, von ihm übernahm er das quadratische Bildformat. Er kehrte sich jedoch bald vom Jugendstil ab und nahm früh expressive Formen in sich auf. Nicht die Schönheit, sondern die demaskierende Wahrheit war der Leitgedanke. Schiele blieb nicht ohne Einfluß auf den vier Jahre älteren Oskar Kokoschka. Mit ihm stand er als 20-jähriger bereits an der Spitze der expressionistischen Avantgarde in Wien und schockierte, so wie dieser, die Umwelt; er vor allem durch ein betont erotisches Element in manchen seiner Werke. 1911 arbeitete Schiele in Krumau, mußte die Stadt jedoch wegen seiner Kunst verlassen. Anschließend lebte er in Neulengbach bei Wien und war dort wegen »Pornographie« einige Zeit inhaftiert. Eine Ausstellung im Jahr 1918 brachte dem jungen Künstler neben der Anerkennung auch materiellen Erfolg, den er aber nicht mehr genießen konnte, da er noch im selben Jahr an der Spanischen Grippe starb.
Die Zahl der Werke, die Schiele während seines kurzen Lebens schuf, ist enorm: 245 Gemälde und schätzungsweise 1500–2000 Zeichnungen, Aquarelle und Guachen. In unzähligen Varianten hat er sich, Grimassen schneidend oder groteske Bewegungen ausführend, selbst dargestellt. Ein Lieblingsthema war die Gegenüberstellung von Leben und Tod, die Bedrohung des Menschen durch die Umwelt. Schonungslos stellte Schiele Fehler und Schwächen bloß. Er verstand es meisterhaft, die Seele sichtbar zu machen, nicht nur bei seinen Figurenkompositionen, sondern auch bei seinen Landschaften; er war jedoch mehr Zeichner als Maler. Selbst in den Gemälden herrscht die Umrißlinie vor; ihre Ausdruckskraft wird durch die Farbgebung verstärkt.
Das Bild »Frau mit zwei Kindern« entstand schon 1915, wurde jedoch später vom Künstler überarbeitet und erst 1917 signiert. Die Thematik der Komposition ist Werden und Vergehen. Das aufblühende und absterbende Leben wird durch entsprechende Linienzüge und symbolische Farben charakterisiert. Die drei vor einem dunklen Hintergrund sitzenden Gestalten erinnern in ihrem Aufbau an ein Triptychon. Die Mutter als blasser, mehr Ton in Ton gehaltener Mittelteil, wird von bunten farbkräftigen Seitenteilen, den Kindern, flankiert. Für diese verwendete der Künstler Studien nach seinem kleinen Neffen. Die erste Fassung des Bildes ist in einem Ausstellungskatalog der Berliner Sezession vom Jahre 1916 überliefert. Damals waren die Füße der Frau sichtbar, während Fransen und Einzelheiten im unteren Teil des Tuches fehlten.

Literatur: O. Kallir, Egon Schiele, Oeuvre-Katalog der Gemälde, Wien 1966. – Egon Schiele. Ausstellung zur 50. Wiederkehr seines Todestages, Ausstellungskatalog, Wien 1968.

137 Clemens Holzmeister, Arkadengang im Krematorium von Wien, 1921/22.

Der Bau des Wiener Krematoriums war der erste große Auftrag, den der junge, 1886 in Fulpmes geborene Architekt Clemens Holzmeister ausführte. Erteilt wurde er ihm auf Grund eines dritten Preises, den er beim 1921 ausgeschriebenen Wettbewerb gewann.
Holzmeister hatte an der Technischen Hochschule in Wien bei Max v. Ferstel, einem stark dem Ringstraßenstil verbundenen Architekten, studiert. Diese historisierende Schule blieb nicht ohne Wirkung auf sein späteres Schaffen. Die großen Meister des Jugendstils, die Bahnbrecher der Moderne, bewunderte er nur von Ferne.
Holzmeister entwirft seine Bauten intuitiv, den Ausschlag gibt das Gelände und dessen Umgebung. Kennzeichnend für seine Werke – auch für die der späteren Zeit – sind die Aufnahme und Verarbeitung traditioneller Formen sowie die Einbindung in das Ortsbild.
Den Krematoriumsauftrag erhielt der 1921 noch ziemlich unbekannte Tiroler Architekt vor allem deswegen, weil sich sein Entwurf in der Grundhaltung an das auf dem Baugelände stehende ehemalige kaiserliche Schloß »Neugebäude« aus dem 16. Jahrhundert anlehnt. Der Bau setzt sich aus drei Teilen zusammen: der Umfassungsmauer, dem dahinter aufsteigenden Würfel und dem Turm. Zwei Arkadenarme führen vom Pfortenbau zum Hauptgebäude, wodurch ein großer rechteckiger Vorhof entsteht. Mit Ausnahme der drei schmalen, dreieckig abgeschlossenen Fenster im Turm, des Mittelportals und der seitlichen Eingänge an der Vorderfront gibt es keine Öffnungen in den Mauern. Beherrschendes Element im Inneren ist der Spitzbogen, er wiederholt sich an den mit Quertramen gedeckten Arkadengängen und kehrt am Eingangsportal

wieder. Die Anregung zur Verwendung dieses Motivs gaben die Laubengänge von Bozen und Brixen.
Mit dem Bau des Krematoriums lenkte Clemens Holzmeister die Aufmerksamkeit des Professorenkollegiums der Wiener Akademie auf sich, wurde 1924 zum Nachfolger Friedrich Ohmanns bestellt und in der Folgezeit mit Aufträgen überhäuft (u.a. Umbau des Salzburger Festspielhauses, Regierungsbauten in Ankara). 1938 übersiedelte er in die Türkei und kehrte von dort erst 1950 nach Österreich zurück.

Literatur: Monika Knofler, Clemens Holzmeister. Das architektonische Werk, Diss. Innsbruck 1976.

138 Anton Faistauer, Blumen vor Grün, 1929, Öl auf Leinwand, 67x84cm. Salzburg, Residenzgalerie.

Anton Faistauer, auch als Kunstschriftsteller hervorgetreten, wurde 1887 in St. Martin bei Lofer geboren. Sein Malstudium begann er 1906 an der Wiener Akademie bei Christian Griepenkerl, verließ jedoch aus Protest gegen seinen Lehrer 1909 die Schule und schloß sich noch im selben Jahr mit gleichgesinnten Kollegen in Wien zur »Neukunstgruppe« zusammen. Auf Reisen in der Schweiz und in Oberitalien empfing Faistauer bleibende Eindrücke von den Werken Tizians, Tintorettos, El Grecos und Cézannes. Ab 1919 arbeitete er in Salzburg und wurde dort einer der Mitbegründer der Künstlervereinigung »Der Wassermann«. Obwohl er 1926 seinen Wohnsitz nach Wien verlegte, blieb er der Salzachmetropole bis zu seinem Lebensende 1930 aufs engste verbunden (Festspielhausfresken, Wandbilder für das Collegium Benedictinum).
Faistauer, einer der Repräsentanten der österreichischen Kunst zwischen den beiden Weltkriegen, entwickelte einen malerisch breiten Stil, basierend auf dem Realismus Gustav Courbets und der flächigen Farbgebung Cézannes. Alles Extreme, so auch den Expressionismus, lehnte er ab. Faistauers Ziel war, die Tradition des Kolorismus fortzusetzen. Seine sinnliche Beziehung zur Farbe kommt am besten in den Stilleben, Blumenstücken und Frauenbildnissen zum Ausdruck. Trotz sorgfältiger Naturbeobachtung sind die Bilder nicht naturalistisch. In den späteren Arbeiten wird das kräftige Kolorit und der Impasto, der für die Jugendwerke charakteristisch ist, allmählich durch hellere Töne und dünneren Farbauftrag abgelöst.

Literatur: A. Rössler, Der Maler Anton Faistauer, Wien 1947. – Gedächtnisausstellung Anton Faistauer, Ausstellungskatalog, Wien 1953.

139 Oskar Kokoschka, Mädchen in Halbfigur vor Landschaft, 1913. Öl auf Leinwand, 67x54cm. Salzburg, Residenzgalerie.

Oskar Kokoschkas Schaffen gliedert sich in mehrere Phasen, die deutlich voneinander abgesetzt sind. Er begann als Revolutionär, suchte aber im Lauf seines Lebens immer mehr den Anschluß an die Tradition. Die Zäsuren im künstlerischen Werdegang entsprechen im Wesentlichen den biographischen Ereignissen.
Bildnerische und dichterische Begabung wurden dem Künstler in die Wiege gelegt, der 1886 in Pöchlarn das Licht der Welt erblickte. Ab 1904 besuchte er die Kunstgewerbeschule, war Mitarbeiter der »Wiener Werkstätte« und trat 1908 erstmals mit eigenen, selbst illustrierten Dichtungen, die er Gustav Klimt gewidmet hatte, an die Öffentlichkeit. Die darin entaltenen Farblithographien gehören noch dem Jugendstil an, weisen aber in ihrer leuchtenden Farbgebung sowie in ihren harten holzschnitthaften Konturen bereits in die Zukunft. Eine Ausstellung von Werken Vinzent van Goghs im Jahre 1906 scheint großen Eindruck auf den Künstler gemacht zu haben. Er begann sich ab dieser Zeit mit dem Expressionismus auseinanderzusetzen und zwar als Dichter und Maler. Gegen die schockierte Wiener Gesellschaft nahm ihn Adolf Loos in Schutz und ermöglichte dadurch dem »Oberwildling der Wiener Kunstschau«, wie er genannt wurde, eine freie künstlerische Entfaltung. Das bevorzugte Bildthema war damals das Porträt. Ein nervöser Pinselstrich, ungestüm aufgetragene Farben – stellenweise transparent, dann wieder knötchenhaft verdickt – kennzeichnen die Bilder dieser frühen Schaffensperiode. Umrisse oder hervorzuhebende Stellen sind oft mit dem Pinselstiel in die Farbe hineingekratzt (z.B. Porträt von Peter Altenberg 1909, Peter Baum 1910, Auguste Forel 1910). Allmählich wurden die Farben jedoch voller und schwerer, um 1913/14 dominierten blaue und grüne Töne neben einem gischtigen Weiß. Kokoschka stellt die Personen unter dem Gesichtspunkt der bestmöglichen Charakterisierung ohne jede Beschönigung dar und besitzt einen nahezu visionären Blick, Eigenschaften sichtbar zu machen, die für andere kaum erkennbar sind. So auch bei dem Mädchenbildnis aus der Residenzgalerie, das in die Endphase der ersten Schaffensperiode gehört. Mit großen, traurigen Augen blickt das abgehärmte Geschöpf in die Ferne, so als würde es das kommende Unheil, den Ersten Weltkrieg, bereits ahnen. Die expressive Aussagekraft der Linie wird durch die Farbgebung, durch das kalte Blau des Kleides, die fahle Haut des Gesichtes und die grünlichen Töne des Hintergrundes noch gesteigert.

Die erste Zäsur im künstlerischen Schaffen Kokoschkas brachte der Erste Weltkrieg, in dem er schwere Verwundungen erlitt. Nach seiner Genesung unterrichtete er bis 1924 an der Dresdner Akademie und unternahm anschließend lange Reisen durch Europa und Afrika. Die Malerei wurde in dieser Zeit pastoser, die Farbskala umfangreicher; hinzu kamen vor allem leuchtende Rot- und Gelbtöne. Während der Reisen entstanden hauptsächlich Landschafts- und Städteansichten (z.B. Vierwaldstättersee, Venedig, Florenz, Paris, Toledo usw.). Den veränderten Bedingungen von Licht und Raum paßte sich auch Kokoschkas Malweise an; sie wurde geschmeidiger, flüssiger, mit einem leichten Anflug von Impressionismus. Nicht

mehr die Zeichnung, sondern die Farbe ist hier das aufbauende Element.
1931 kam Kokoschka wieder nach Wien, übersiedelte jedoch 1934 wegen der schlechten innenpolitischen Lage Österreichs nach Prag, von wo er kurz vor dem Einmarsch der deutschen Truppen nach London emigrierte und dort bis 1953 im Exil lebte. Heute wohnt Kokoschka in Villeneuve am Genfer See.
Den Umständen entsprechend sind in den Werken um 1931 wieder häufiger Ateliermotive, z. B. Stilleben, zu finden. Nach 1934 wandte sich der Künstler einem neuen Themenkreis zu, der Allegorie, die bis dahin nur eine untergeordnete Rolle gespielt hatte. Viele der Gemälde dieser Zeit stehen in Beziehung zu aktuellen Geschehnissen. Daneben entstanden aber auch zahlreiche intime Bilder, Aquarelle, Farbstiftskizzen und Zeichnungen nach der Natur, die wohl einer eingehenden Beschäftigung mit den Werken früherer Meister zu verdanken sind (Dürer, Altdorfer, Freskenmaler des österreichischen Barocks).
Den Beginn des Altersstils – gekennzeichnet durch eine gewisse Hinwendung zum Impressionismus – kann man mit der Prager Periode ansetzen. Nach der Rückkehr aus der Emigration 1953 war Kokoschkas Hauptanliegen die Übermittlung seiner künstlerischen Erfahrungen an die jüngere Generation. Diesem Zweck diente die von ihm gegründete Sommerakademie in Salzburg, die »Schule des Sehens«, die er ein Jahrzehnt hindurch leitete.

Literatur: Oskar Kokoschka. Aus seinem Schaffen 1907–1950, Ausstellungskatalog, München 1950. – H. M. Wingler, Oskar Kokoschka, Das Werk des Malers, Salzburg 1956.

140 Herbert Boeckl, Apokalyptische Visionen aus dem Freskenzyklus der Engelkapelle der Stiftskirche Seckau, 1952–60, Nordwand.

Herbert Boeckl, 1894 in Klagenfurt geboren, studierte zunächst Architektur an der Technischen Hochschule in Wien, wandte sich dann der Malerei zu und arbeitete in Berlin, Paris und Palermo. 1928 zeigte er in der Sezession erstmals eigene Bilder, 1935 erhielt er eine Professur an der Wiener Akademie und wirkte dort bis zu seinem Tod 1966. Boeckl war vor allem ein koloristisches Talent, empfing zu Beginn seiner malerischen Tätigkeit starke Impulse vom zeichnerischen Expressionismus des um vier Jahre älteren Egon Schiele, doch wurde später immer mehr die Farbe zum Ausdrucksträger. Zur Entwicklung seines eigenen persönlichen Stils trugen Kokoschkas Arbeiten aus der Dresdner Periode, Lovis Corinths späte Landschaften sowie die Werke Cézannes bei. Den frühen Arbeiten mit ungestüm in mehreren Schichten aufgetragenen Farben folgten in den zwanziger Jahren Bilder, in denen klar umrissene Formen vorherrschten. Vereinfachung und Vergeistigung kennzeichnen die späteren Werke. Boeckl malte in großen, fast selbständigen Farbflächen, die allmählich durch lineare Elemente bereichert wurden. Die Bilder seiner letzten Schaffensperiode zeigen eine nahezu ikonenhafte Strenge, hierher gehört der Freskenzyklus in Seckau.
Der Entwurf für die Altarwand entstand 1951 in Spanien, wo Boeckl die Freskomalerei, insbesondere die Kataloniens, studierte. Die Arbeiten in Seckau begann er 1952 an der Altarwand (Nordwand). Das Hauptthema heißt: Wer ist würdig, das Buch mit den sieben Siegeln zu lösen? Die Darstellungen sind symmetrisch aufgebaut und um ein Lamm angeordnet, das durch sein leuchtendes Weiß als geistiges Zentrum hervorgehoben ist. Die Hagia Sophia, die göttliche Weisheit, die rechts des apokalyptischen Tieres steht, ist eine vom Künstler erdachte Figur. Sie reißt sich das letzte der Siegel – als rote Bälle angedeutet – von der Brust und wirft es dem Lamm zur Lösung zu. Ihr gegenüber steht, mit einem Fuß auf dem Meer, mit dem anderen auf dem Land, der »starke Engel«, dessen Angesicht – laut Kapitel 10 der Offenbarung – wie die Sonne glänzt und dessen Füße Feuersäulen gleichen. Neben ihm ist das Schweißtuch der Veronika dargestellt, auf der gegenüberliegenden Seite das abgeschlagene Haupt von Johannes dem Täufer. Links oben erscheint das Weib mit der Schlange, dieser Szene entspricht rechts der Totschlag Kains. In der unteren Bildzone stehen die vier Wesen, die, wie es im Text der Offenbarung heißt, ganz voller Augen, einem Stier, Menschen, Löwen und Adler gleichen. Seit ältesten Zeiten des Christentums gelten sie als Sinnbilder der vier Evangelisten.
Die stark expressiv bewegten Figuren sind in gegenstandslose Farbflächen eingebunden, die die einzelnen Bildzonen zusammenklammern, aber auch selbst als Ausdrucksträger dienen; so bedeutet das blaue Segment zu Häupten des Lammes die Tür ins Unermeßliche, das grünliche mit Linien durchkreuzte Feld darunter das Treiben der Menschen auf Erden.
Die Ostwand zeigt weitere Darstellungen aus der Offenbarung, darunter das Apokalyptische Weib und die vier Apokalyptischen Reiter. Auf der Südwand sind die Schöpfung und das Jüngste Gericht dargestellt.

Literatur: F. Windisch-Graetz, Die Seckauer Apokalypse, in: Das Münster, VIII, 1954–55. – Benno Roth, Seckauer Apokalypse und ihre Deutung, Wien 1961.

141 Karl Korab, Die Maschine, 1962/64, Öl- Tempera auf Hartfaserplatte, 79,5 x 64 cm.
Wien, Niederösterreichisches Landesmuseum.

Karl Korab, 1937 in Falkenstein (Niederösterreich) geboren, gehört zu einer Gruppe von Künstlern, die der Wiener Schule des phantastischen Realismus – dem französischen Surrealismus der zwanziger Jahre ähnlich – nahestehen, ihr jedoch nicht unmittelbar angehören. Die Begegnung mit Ernst Fuchs und Anton Lehmden an der Wiener Kunstakademie, die er von 1957–64 besuchte, blieb nicht ohne Folgen auf seine malerische Entwicklung.

Daneben beschäftigte er sich mit der Kunst der alten Meister, vor allem mit dem Schaffen Pieter Brueghels d. Ä. und Hieronymus Boschs. Ihnen verdankt er das brillante Kolorit, das seine Werke auszeichnet, sowie die fein nuancierte Gestaltung des einzelnen Details. Die Bewunderung, die Korab für diese Meister empfindet, verhinderte jedoch nicht den Durchbruch eines eigenen Stils. Er stellt die Welt, die ihn umgibt, dar, versucht sie zu deuten und bleibt trotz traditioneller Maltechnik der Gegenwart verpflichtet. Korabs Kunst ist statisch kühl und vernunftbetont. Seine Themen sind Stilleben, maskenhafte Köpfe und Landschaften in Verbindung mit zeittypischen Erscheinungen.
Im Öl-Temperabild »Die Maschine« wird die Landschaft von einem komplizierten System seltsam geformter, ineinander verkeilter Metallteile beherrscht, das bedrohlich gegen die letzten Reste der Natur vordringt.
Sein Schaffen charakterisiert Karl Korab mit folgenden Worten: »Heute interessiert mich die Welt der Dinge, Objekte des täglichen Lebens. Sie haben für mich ihre Unbeweglichkeit verloren, sind nicht mehr leblose Requisiten. Erfundene Dinge nehmen immer mehr überhand, Dinge, die nicht existieren, aber existieren könnten, da sie alle an der realen Dingwelt gemachte Erfahrungen in sich tragen. Sie sind aber nicht Selbstzweck, sondern Elemente, geordnet zu einem funktionierenden Organismus. Sie haben ihren bestimmten Ort zugewiesen bekommen, sind unverrückbar und können außerhalb ihres Bezugssystems nicht existieren. Sie reflektieren das Dasein des Menschen, sind Zeugnisse unserer Zivilisation.«

Literatur: Karl Korab, (Essay von Kristian Sotriffer), Ölbilder, Guachen, Zeichnungen, Wien 1973. – Peter Baum, Karl Korab, Salzburg 1974.

142 Friedensreich Hundertwasser, Die Insel, 1955. Mischtechnik, Kunstharz auf weiß grundierter Leinwand, zwei Malschichten, 58 x 72 cm. Wien, Österreichische Galerie des 19. und 20. Jahrhunderts.

Friedensreich Hundertwasser (Stowasser), 1928 in Wien geboren, wurde, wie er in seiner Autobiographie schildert, als 6-jähriger stark von Picassos weinenden Frauen beeindruckt und überraschte zwei Jahre später in der Montessori-Schule durch seine Begabung für Malerei und durch genaue Kenntnisse der Perspektive. 1943 malte er Ansichtsbilder und entdeckte 1947 die Farbe. Hundertwassers Studium an der Wiener Akademie dauerte nur einige Monate. Er ging eigene Wege, trampte durch Europa und lebte einige Zeit in Marrakesch im Eingeborenenviertel. Nach Wien zurückgekehrt, zeigte er 1952 und 1953 seine Bilder im Art Club, wo sie Skandale erregten; Ausstellungen in Paris und Mailand folgten. Entscheidende Anregungen holte sich Hundertwasser von Egon Schieles Schaffen und den dekorativen Abstraktionen in Gustav Klimts Kunst. Die Spirale des Wiener Jugendstils wurde zu seinem Lieblingsmotiv. In Verbindung mit der Farbe huldigt der Künstler einer expressiven Poesie der Linie.

Literatur: Hundertwasser, Ausstellungskatalog, Venedig 1962. – W. Schmied, Hundertwasser, Feldafing 1964, in: Hundertwasser, Ausstellungskatalog, Hannover 1964.

143 Fritz Wotruba, Kleine Liegende, 1951. Bronze, Länge 55 cm. Wien, Österreichische Galerie des 19. und 20. Jahrhunderts.

Fritz Wotruba – 1907 in Wien geboren – besuchte während seiner Lehrzeit (1921–24) in einer Gravier- und Stanzwerkstätte den Abendakt an der Wiener Kunstgewerbeschule und kam 1926 zu Anton Hanak, wo er sich als Metallbildhauer weiterbildete. Unabhängig von Schule und Lehrer begann er 1927 auch in Stein zu arbeiten und war ab 1929 als freischaffender Künstler tätig. Auf einer Reise nach Deutschland lernte Wotruba erstmals Werke von Wilhelm Lehmbruck und Aristide Maillol kennen. Nach dem Anschluß Österreichs an Deutschland emigrierte er in die Schweiz und lebte dort bis 1945 im Exil. In die Heimat zurückgekehrt, übernahm er die Leitung einer Meisterklasse für Bildhauerei an der Wiener Akademie und wirkte dort bis zu seinem Tode 1975.
Im Mittelpunkt von Wotrubas Schaffen stand die menschliche Figur. Er begann seine künstlerische Tätigkeit als Realist. In den frühen Werken machen sich Einflüsse von Hanak, Lehmbruck und Maillol bemerkbar, in der Emigration wurde jedoch die Form gestraffter und konzentrierter. Internationale Anerkennung erreichte der Bildhauer nach 1945 durch sein kubisches, mehr abstraktes Ouevre. Ausgangspunkt ist jedoch nicht das stereometrische Element, sondern die menschliche Figur. Aus ihr entwickelte Wotruba ein differenziertes System von Blökken, das mit der Zeit immer mehr strukturellen und tektonischen Gesetzen folgt; er baut sozusagen eine »menschliche Kathedrale« auf. 1953 bahnt sich eine neue Formgebung an, in der erstmals auch Rundungen auftreten. An die Stelle schwer lastender Blöcke treten schlanke emporstrebende Schäfte. Diese »Säulenfiguren« werden schließlich zu »Pfeilerfiguren« weiterentwickelt.
Bei der Liegenden aus dem Jahr 1951 ist die menschliche Gestalt blockartig in ihre Grundstruktur zerlegt und aus diesen Elementen neu aufgebaut. Sie verbirgt sich im Gefüge der geometrischen Formen, ist aber trotzdem erkennbar.

Literatur: Jean R. de Salis, Fritz Wotruba, Zürich 1948. – F. Heer, Fritz Wotruba, Neuenburg 1961. – Johann Muschik, Österreichische Plastik seit 1945, Baden-Wien 1966.

144 Kirche in Wien-Mauer, nach einem Entwurf von Fritz Wotruba, fertiggestellt 1976. Ecke Nord–Westfassade.

Die Idee, dem Bildhauer Fritz Wotruba einen Kirchenbau zu übertragen, wurde 1964 geboren, doch sollte es zwölf Jahre dauern, bis sie verwirklicht werden konnte. Der

Österreichisches Barockmuseum, Unteres Belvedere, III, Rennweg 6a

Malerei und Plastik des österreichsichen Barocks (Maulbertsch, Kremser Schmidt, Donner, Messerschmidt u. a.)

Österreichische Galerie des 19. und 20. Jh., Oberes Belvedere, III, Prinz-Eugen-Straße 27

Österreichische Kunst vom Klassizismus bis zur Gegenwart (Schwind, Amerling, Waldmüller, Romako, Egger-Lienz, Klimt, Schiele, Kokoschka, Boeckl u. a.)

Österreichische Nationalbibliothek, I, Josefsplatz 1

Handschriftensammlung

Schatzkammer des Deutschen Ritterordens, I, Singerstraße 7

Ordensinsignien, Pokale, Tafelgerät

Schloß Schönbrunn, XIII, Schloß

Repräsentations- und Wohnräume der kaiserlichen Familie, Galerie

Wagenburg

Prunk- und Gebrauchswagen aus der Zeit von 1690 bis 1917

Uhrenmuseum der Stadt Wien, I, Schulhof 2

Räderuhren von den ersten Anfängen bis zur Gegenwart

NIEDERÖSTERREICH

Asparn an der Zaya

Museum für Urgeschichte des Landes Niederösterreich und urgeschichtliches Freilichtmuseum

Prähistorische Funde aus Niederösterreich,Rekonstruktionen von Wohn- und Wirtschaftsbauten

Bad Deutsch-Altenburg

Museum Carnuntinum, Badgasse 42

Römische Altertümer aus Carnuntum, 1.–4. Jh.

Gmünd

Stein- und Glasmuseum, Stadtplatz 34

Steinmetz-Arbeiten, Gläser, Steinmetz-Geschichte von 200 v. Chr. bis zur Gegenwart, Geschichte der Glashütten in Niederösterreich seit dem 14. Jh.

Gobelsburg (Langenlois)

Schloß

Österreichische Volksmajolika, Bauernmöbel, Glas

Göttweig

Stift

Graphische Sammlung, Wechselausstellungen

Grafenegg

Schloß

Außenstelle des Österreichischen Museums für angewandte Kunst, Wien. Wechselausstellungen

Heiligenkreuz (Baden)

Stift

Stiftssammlungen, Bibliothek

Herzogenburg

Stift

Stiftssammlungen: Tafelmalerei (14. und 15. Jh.), Plastik, Glasgemälde, Waffen, Volkskunde, Ur- und Frühgeschichte

Herzogenburg-Heiligenkreuz (Gutenbrunn)

Niederösterreichisches Barockmuseum

Außenstelle des Niederösterreichischen Landesmuseums. Gemälde, Zeichnungen, Plastik

Klosterneuburg

Stift

Stiftssammlungen: Gemälde, Kunstgewerbe

Krems an der Donau

Historisches Museum und Weinbaumuseum, Dominikanerkloster, Dominikanerplatz

Gemälde, Plastik, Kunstgewerbe, Volkskunde, Stadtaltertümer; Kulturgeschichte des Weinbaues in Niederösterreich

Langenzersdorf

Anton-Hanak-Museum, Obere Kirchengasse 23

Plastiken, Entwürfe und Skizzen des Bildhauers, Sonderausstellungen

Lilienfeld

Stift

Bibliothek

Melk

Stift

Stiftssammlungen, kirchliches Kunstgewerbe, Malerei der Donauschule, Bibliothek

Niederleis

Schloß

Skulpturen, Möbel, Kunstgewerbe

Petronell

Schloß

Donaumuseum, Römische Sammlung. Kunstgewerbemuseum: Außenstelle des Museums für angewandte Kunst, Wien

Pöchlarn

Oskar-Kokoschka-Geburtshaus, Regensburger Straße 29

Graphik und Zeichnungen des Künstlers, Dokumentation

Riegersburg (Retz)

Schloß

Außenstelle des Museums für angewandte Kunst Wien. Kunstgewerbe, religiöse Kleinkunst, Wechselausstellungen

Rohrau

Schloß Rohrau

Harrachsche Gemäldesammlung, Mobiliar und Kunstgewerbe

Schallaburg/Anzendorf (Melk)

Schloß

Wechselausstellungen

Scheuchenstein/Miesenbach

Gauermann-Museum, Schulgebäude

Werke und Erinnerungsstücke des Malers (Gauermann-Galerie).

St. Pölten

Historisches Museum der Stadt St. Pölten, Prandtauerstraße 2

Stadtgeschichte von der Jungsteinzeit bis zur Gegenwart, Kunst des 18. und 20. Jh.

Seebenstein

Burgmuseum

Plastik (Donner, Riemenschneider u. a.), Gemälde, Kunstgewerbe

Seitenstetten

Stift

Gemäldegalerie (Gotik, Barock), Plastik,

Weissenkirchen in der Wachau

Wachaumuseum, Teisenhoferhof

Werke des Kremser Schmidt sowie der »Wachauer Maler«, Geschichte und Volkskunde der Wachau

Wiener Neustadt

Stadtmuseum, Wiener Straße 63

Gemälde, Plastik, Kunstgewerbe, Stadtgeschichte

Zwettl

Stift

Kunst- und Schatzkammer: Plastik, Glasfenster, Gemäldeskizzen, Kunsthandwerk

OBERÖSTERREICH

Linz

Schloßmuseum des Oberösterreichischen Landesmuseums, Tummelplatz 10

Querschnitt durch die Kunst- und Kulturgeschichte Oberösterreichs

Stadtmuseum Nordico, Bethlehemstraße 7

Archäologische Sammlung (Ur-, Frühgeschichte, Römerzeit), Stadtgeschichte von Linz, Wechselausstellungen

Neue Galerie der Stadt Linz, Hauptplatz 8

Malerei des 19. und 20. Jh. (Corinth, Klimt, Kokoschka, Kubin, Liebermann, Schiele u. a.), Wechselausstellungen moderner Kunst

Enns

Museum der Stadt Enns, Hauptplatz 19

Prähistorische und römerzeitliche Sammlungen, Stadtgeschichte, Volkskunde, sakrale Kunst

Hallstatt

Museum

Funde aus dem Gräberfeld von Hallstatt, römische Provinzialkunst, Volkskunde

ÖSTERREICH

(Kunst-Museen sowie abgebildete Objekte)

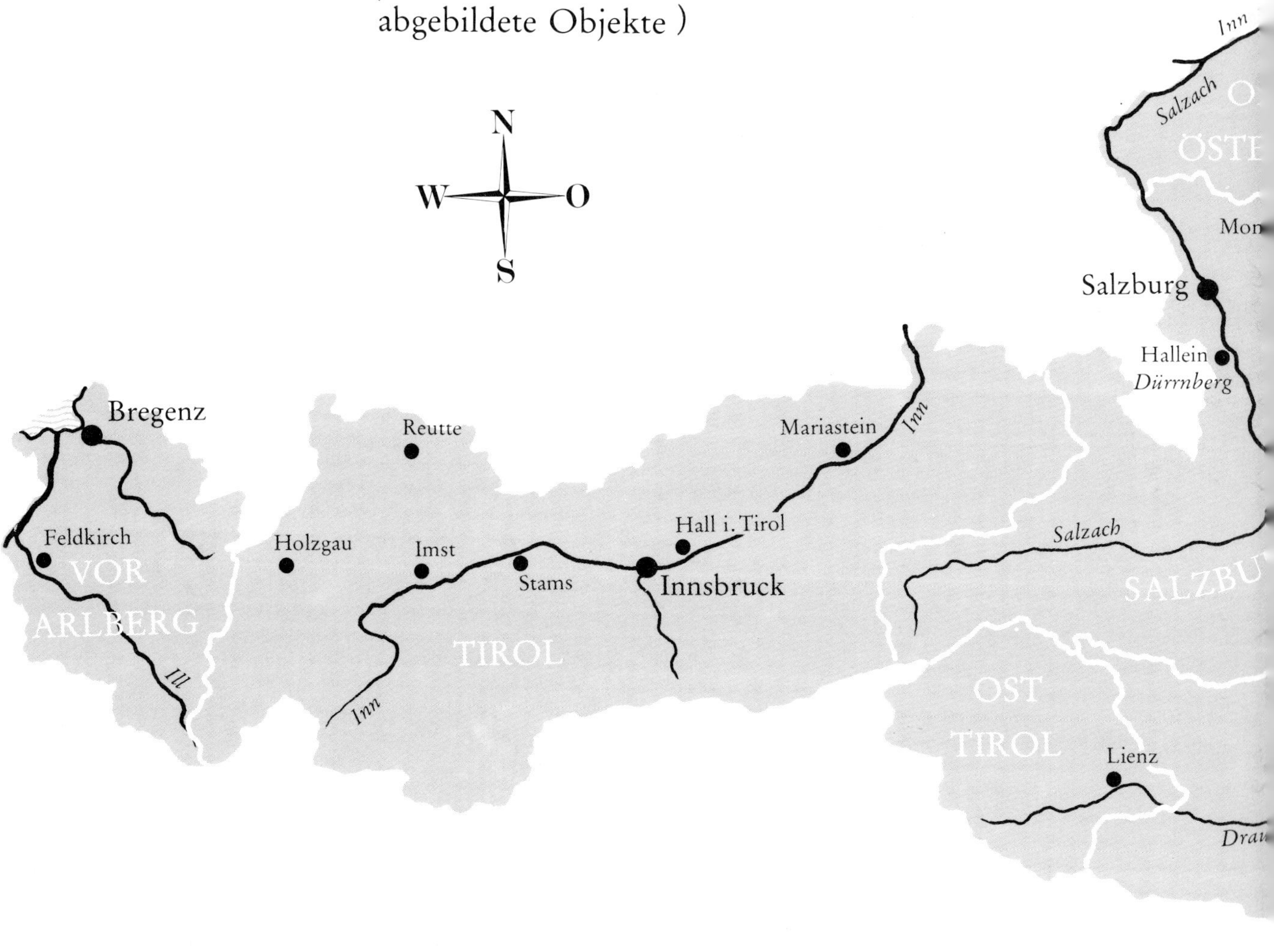

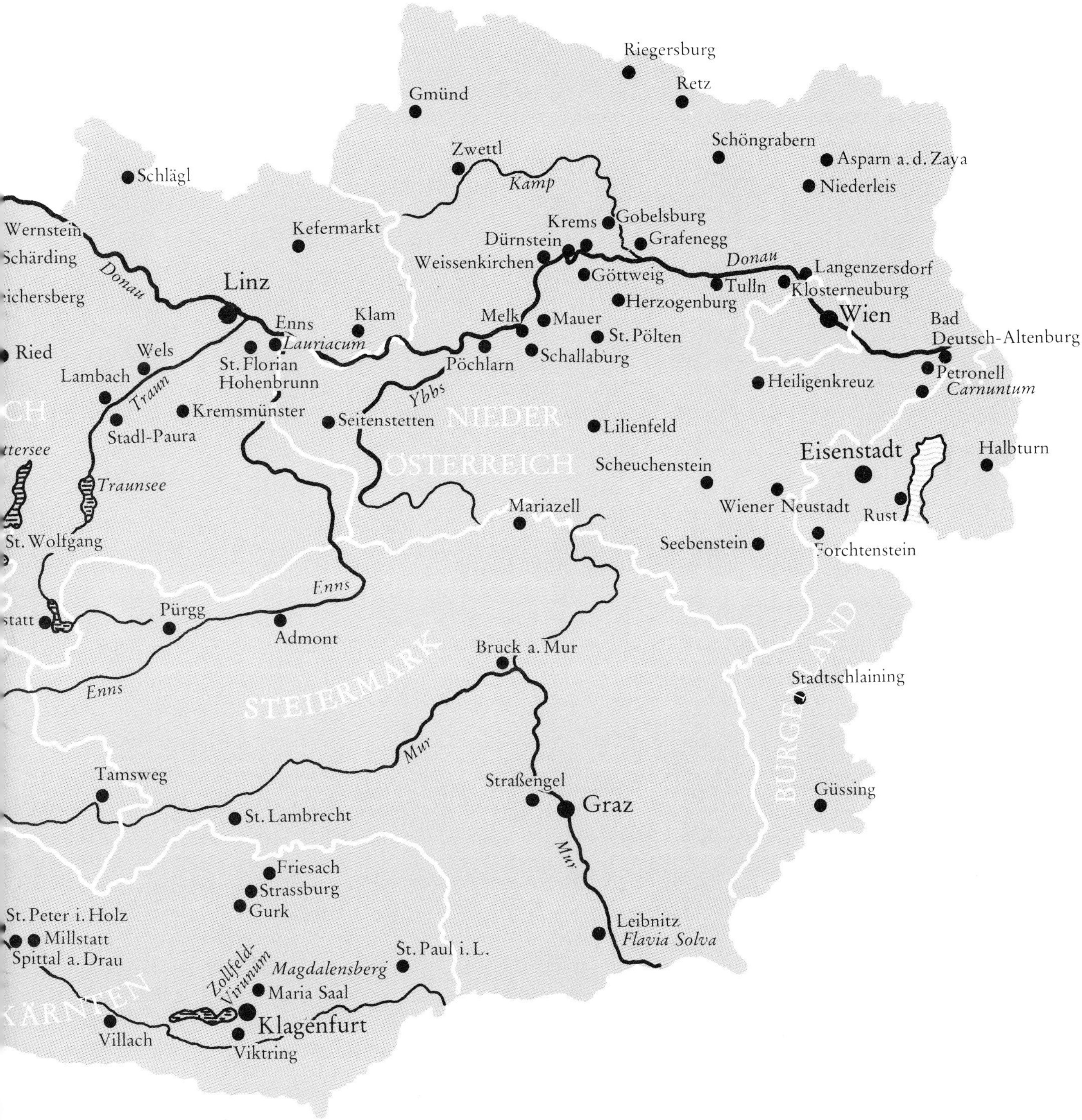
Riegersburg
Retz
Gmünd
Schöngrabern
Asparn a.d. Zaya
Niederleis
Zwettl
Kamp
Schlägl
Krems
Gobelsburg
Grafenegg
Dürnstein
Weissenkirchen
Donau
Langenzersdorf
Wernstein
Kefermarkt
Schärding
Göttweig
Tulln
Klosterneuburg
Donau
Linz
Herzogenburg
ichersberg
Wien
Klam
Melk
Mauer
Bad
Deutsch-Altenburg
Enns
Lauriacum
St. Pölten
Ried
Wels
St. Florian
Schallaburg
Lambach
Hohenbrunn
Pöchlarn
Heiligenkreuz
Petronell
Carnuntum
Traun
Ybbs
Kremsmünster
Seitenstetten
NIEDER
Lilienfeld
Stadl-Paura
Eisenstadt
Halbturn
ÖSTERREICH
Scheuchenstein
Traunsee
Wiener Neustadt
Mariazell
Rust
St. Wolfgang
Seebenstein
Forchtenstein
Enns
Pürgg
Admont
Bruck a. Mur
BURGENLAND
Enns
STEIERMARK
Stadtschlaining
Mur
Tamsweg
Straßengel
Graz
Güssing
St. Lambrecht
Mur
Friesach
Strassburg
Gurk
St. Peter i. Holz
Leibnitz
Flavia Solva
Millstatt
Spittal a. Drau
St. Paul i. L.
Zollfeld-Virunum
Magdalensberg
Maria Saal
KÄRNTEN
Klagenfurt
Villach
Viktring

Hohenbrunn (St. Florian, Linz)

Schloß

Jagdmuseum (Waffen, Gemälde, Gobelins, Porzellan, Silber)

Klam

Schloß Clam

Burgmuseum (Porzellansammlung)

Kremsmünster

Stift

Stiftssammlungen, Gemäldegalerie (deutsche, niederländische Meister u. a. vom 14.–19. Jh.)
Bibliothek

Mondsee

Heimatmuseum

Funde aus den Pfahlbaudörfern der »Mondseekultur«, Werke von Guggenbichler, Volkskunde

Reichersberg

Stift

Stiftsmuseum (gotische Tafelbilder), Bibliothek

Ried im Innkreis

Innviertler Volkskundehaus, Kirchenplatz

Werke der Bildhauerfamilie Schwanthaler, Stadtgeschichte, Volkskunde

St. Florian (Linz)

Stift

Stiftssammlungen: Gemäldegalerie (Altdorfer u. a.), Plastik, Kunstgewerbe; Bibliothek

Schärding

Heimathaus, Schloßgasse

Gemälde, Plastik (Gotik bis Gegenwart), Volkskunde

Schlägl (Aigen im Mühlkreis)

Stift

Stiftssammlungen, (gotische Tafelbilder, Gemälde des 17. und 18. Jh.), Bibliothek; Sonderausstellungen

Wels

Stadtmuseum, Polheimer Straße 17

Prähistorische und römerzeitliche Sammlung, Stadtgeschichte, Galerie der Stadt Wels

Wernstein am Inn

Schloß Zwickledt

Kubin-Gedenkstätte, Zeichnungen des Künstlers

SALZBURG

Salzburg

Residenz-Galerie, Residenzplatz 1

Gemäldegalerie mit Sammlung »Schönborn-Buchheim« (Europäische Malerei ab 16. Jh.)

Salzburger Museum Carolino Augusteum, Museumsplatz 6

Kunst- und kunstgewerbliche Sammlungen des Landes Salzburg, Sonderausstellungen

Festung Hohensalzburg

Burgmuseum des Salzburger Museums Carolino Augusteum

Dommuseum und alte erzbischöfliche Kunst- und Wunderkammer zu Salzburg, Domplatz

Gemälde, Plastik, Sakrale Kunstwerke, Wunderkammer

Stift Nonnberg, Nonnberggasse 2

Stiftssammlungen: Gemälde, Plastik, kirchliches Kunstgewerbe

Salzburger Barockmuseum, Mirabellgarten, Orangerie

Europäische Kunst des 17. und 18. Jh., Sammlung Rossacher

Hallein

Keltenmuseum, Am Pflegerplatz

Urgeschichtliche Sammlung (Dürrnberg-Funde), Volkskunde, Kunst und Kunstgewerbe.

TIROL

Innsbruck

Tiroler Landesmuseum Ferdinandeum, Museumsstraße 15

Ur- und Frühgeschichte, Römerzeit, romanische und gotische Kunst, altdeutsche Galerie, niederländische Galerie, Malerei und Plastik 1600–1900, moderne Galerie, Kunstgewerbe

Tiroler Volkskunstmuseum, Universitätsstraße 2
Volkskunde und Volkskunst aus Tirol, Krippensammlung

Schloß Ambras
Kunst- und Wunderkammer, Gemälde, Möbel, Waffensäle, Porträtsammlung des Kunsthistorischen Museums Wien

Hall in Tirol

Stadtmuseum Burg Hasegg (in Arbeit)
Stadtgeschichte, kirchliches Kunstgewerbe 17. und 18. Jh., Gemälde (Altarflügel von Marx Reichlich), Sonderausstellungen

Imst

Heimatmuseum
Volkskundliche Sammlung (Schemenlauf-Masken, Krippen)

Lienz, Osttirol

Osttiroler Bezirks-Heimatmuseum, Schloß Bruck
Gemäldegalerie (Egger-Lienz, P. Troger, F. Defregger), Funde aus Aguntum, Volkskunde

Mariastein

Schloß
Museum (Österreichischer Erzherzogshut mit Szepter), Sakrales Kunstgewerbe

Reutte

Heimatmuseum, Unterer Markt 24
Gemälde von Außerferner Barockmalern, Zunftsammlung des Außerfern, Volkskunde

VORARLBERG

Bregenz

Vorarlberger Landesmuseum, Kornmarkt 1
Querschnitt durch die Kunst- und Kulturgeschichte Vorarlbergs (prähistorische und römische Abteilung), mittelalterliche und neuzeitliche Kunstwerke, Volkskunst

Feldkirch

Heimatmuseum Schattenburg
Kulturgeschichte der Stadt und Umgebung, Plastik, Kunstgewerbe

Palais Liechtenstein, Schlossergasse 8
Wechselausstellungen

KÄRNTEN

Klagenfurt

Landesmuseum für Kärnten, Museumsgasse 2
Ur- und Frühgeschichte, Römerfunde (Virunum, Teurnia, Magdalensberg), Gemälde (Thomas von Villach u. a.), Plastik, Volkskunde

Kärntner Landesgalerie, Burggasse 8
Vorwiegend Werke von Kärntner Künstlern (Biedermeier bis zur Gegenwart), Sonderausstellungen

Bischöfliches Diözesan-Museum, Lidmanskygasse 10
Plastik, Paramente, liturgisches Gerät, religiöses Volksgut aus Kärnten (12. bis 18. Jh.)

Friesach

Stadtmuseum, Fürstenhofgasse 115
Mittelalterliche Plastik und Kunstgewerbe, Volkskunde

Lendorf/St. Peter im Holz (Spittal an der Drau)

Museum Teurnia
Römische und frühchristliche Funde aus Teurnia

St. Paul im Lavanttal

Stift
Stiftssammlungen: Gemälde, weltliches und kirchliches Kunstgewerbe

Strassburg

Schloß
Gemäldegalerie, sakrale Kunstwerke, Volkskunde

Villach

Stadtmuseum, Widmanngasse 38
Ur- und Frühgeschichte, Funde aus der Römerzeit und dem frühen Mittelalter, spätgotische Kunst, religiöse Volkskunst, Willroider Gemäldegalerie

STEIERMARK

Graz

Landesmuseum Joanneum
Museumsgebäude Neutorgasse 45
Alte Galerie und Abteilung für Kunstgewerbe

Neue Galerie, Sackgasse 16
Malerei, Graphik, Plastik des 19. und 20. Jh., Sonderausstellungen

Landeszeughaus, Herrengasse 16
Waffensammlung

Schloß Eggenberg, Eggenberger Allee 90
Abteilung für Vor- und Frühgeschichte, Römersteinsammlung, Jagdmuseum

Steirisches Volkskundemuseum, Paulustorgasse 13a
Volkskunde und Volkskunst der Steiermark

Admont

Stift
Kunsthistorische Sammlungen: Malerei, Plastik, Kunstgewerbe (11. Jh. bis zur Gegenwart); Bibliothek

St. Lambrecht

Stift
Stiftssammlungen: Malerei und Plastik (13. bis 19. Jh.); Volkskunde

Mariazell

Gnadenbasilika
Schatz- und Votivkammer

BURGENLAND

Eisenstadt

Burgenländisches Landesmuseum, Museumgasse 5
Kunst- und Kulturgeschichtliche Sammlung (Archäologische Abteilung mit röm. Mosaiken), Volkskunst

Landesgalerie Schloß Esterházy
Wechselausstellungen

Forchtenstein

Burg
Burg-Sammlung

Güssing

Burg
Schloß- und Heimatmuseum, Kunstkammer

Halbturn

Schloß
Wechselausstellungen

Stadtschlaining

Burgmuseum
Gemäldegalerie, Kunsthandwerk (Sammlung von Eisengüssen 1600–1960), Volkskunde